NA PRAIA

IAN McEWAN

Na praia

Tradução
Bernardo Carvalho

1ª reimpressão

COMPANHIA DAS LETRAS

Título original
On Chesil Beach

Capa
Angelo Venosa

Preparação
Márcia Copola

Revisão
Carmen S. da Costa
Ana Maria Barbosa

Dados Internacionais de Catalogação na Publicação (CIP)
(Câmara Brasileira do Livro, SP, Brasil)

McEwan, Ian
Na praia / Ian McEwan ; tradução Bernardo Carvalho. — São Paulo : Companhia das Letras, 2007.

Título original: On chesil beach.
ISBN 978-85-359-1042-1

1. Ficção inglesa I. Título.

07-3804 CDD-823

Índice para catálogo sistemático:
1. Ficção : Literatura inglesa 823

[2007]

EDITORA SCHWARCZ LTDA.
Rua Bandeira Paulista 702 cj. 32
04532-002 — São Paulo — SP
Telefone (11) 3707-3500
Fax (11) 3703-3501
www.companhiadasletras.com.br

Para Annalena

1.

Eram jovens, educados e ambos virgens nessa noite, sua noite de núpcias, e viviam num tempo em que conversar sobre as dificuldades sexuais era completamente impossível. Mas nunca é fácil. Estavam sentados para jantar numa saleta do primeiro andar de uma estalagem georgiana. No quarto adjacente, visível através da porta aberta, ficava uma cama de dossel, mais para estreita, cuja colcha era de um branco puro e espantosamente liso, como se não tivesse sido esticada por mãos humanas. Edward não mencionou que nunca estivera num hotel antes; ao passo que Florence, depois de tantas viagens com o pai na infância, já era veterana. Aparentemente, estavam bem-dispostos. O casamento na igreja de St. Mary, em Oxford, tinha corrido bem; o serviço fora digno; a recepção, animada; o bota-fora dos amigos de escola e de faculdade, exaltado e arrebatador. Os pais dela não trataram os dele com ares de superioridade, como os dois chegaram a temer, e a mãe dele não cometeu nenhuma gafe significativa, nem sequer se esqueceu do propósito da ocasião. O casal partira no pequeno carro da mãe de Florence e chegara no início da noite ao hotel na costa de Dorset, sob um clima que, embora não fosse ideal para meados de julho ou para as circunstâncias, era perfeitamente adequado: não chovia, mas tampouco estava quente, segundo Florence, para comer do lado de fora, no terraço, como haviam pensado. Edward achava que sim, mas, em sua cortesia excessiva, não cogitava contradizê-la nessa noite.

Assim, estavam comendo na antecâmara, diante das janelas de batente entreabertas que davam para uma sacada e para a vista de uma parte do canal da Mancha e da praia de Chesil, com sua restinga infinita. Dois rapazes de smoking os serviam, indo e vindo de um carrinho estacionado do lado de fora, no corredor, e a movimentação deles por aquela que em geral era conhecida como a suíte nupcial fazia as tábuas de carvalho enceradas rangerem de um modo cômico, quebrando o silêncio. Orgulhoso e protetor, o jovem noivo se mantinha atento a qualquer gesto ou expressão que pudessem parecer satíricos. Não teria tolerado nenhum risinho. Mas esses rapazes de um vilarejo próximo cumpriam suas tarefas curvados, com rostos impassíveis, maneiras hesitantes e mãos trêmulas, conforme dispunham os pratos sobre a toalha de mesa de linho engomada. Também estavam nervosos.

Aquele não era um bom momento na história da culinária inglesa, mas na época ninguém se importava muito, à exceção dos visitantes estrangeiros. A refeição propriamente dita começou, como costumava acontecer naquele tempo, com uma fatia de melão decorada com uma cereja cristalizada. Do lado de fora, no corredor, fatias de um velho rosbife requentado num molho espesso, legumes cozidos e batatas azuladas aguardavam, em travessas de prata sobre réchauds a vela. O vinho era francês, embora nenhuma região particular fosse mencionada no rótulo, ornado com uma única andorinha que voava como uma flecha. Não poderia ter passado pela cabeça de Edward pedir um tinto.

Ansiosos por ver-se livres dos garçons, ele e Florence se viraram em suas cadeiras para considerar a vista de uma vasta relva musguenta e, mais adiante, um emaranhado de arbustos em flor e árvores agarradas a um barranco íngreme que despencava até o caminho da praia. Podiam ver o início de uma picada, descendo em degraus lamacentos, uma vereda guarnecida de plantas de tamanho extravagante, tal qual ruibarbos e repolhos gigantes, com talos intumescidos de mais de dois metros, dobrados sob o peso de folhas escuras com nervações grossas. A vegetação do jardim erguia-se sensual e tropical em sua profusão, um efeito realçado pela luz branda e cinzenta e pela névoa tênue que vinha do mar, cujo movimento regular de avanço e retração produzia leves estrondos que se dissipavam num súbito assobio contra os seixos. O plano deles era calçar sapatos mais rústicos depois do jantar e caminhar pela restinga entre o mar e a lagoa conhecida como O Estuário, e, se não tivessem terminado o vinho, iriam levá-lo consigo e beberiam no gargalo, à maneira de salteadores.

Tinham muitos planos, planos inconseqüentes, amontoados diante deles num futuro enevoado, tão luxuriantes e emaranhados quanto a flora da costa de Dorset no verão, e igualmente belos. Onde e como iriam viver, quem seriam seus amigos mais próximos, o emprego dele na firma do pai dela, a carreira musical que ela teria pela frente, o que fazer com o dinheiro que o pai dela lhes dera, e como não seriam iguais às outras pessoas, pelo menos interiormente. Este ainda era o tempo — que terminaria naquela década célebre — em que ser jovem era um estorvo social, um sinal de irrelevância, uma condição ligeiramente embaraçosa para a qual o casamento era o começo da cura. Quase estranhos, mantinham-se retraidamente juntos, num novo pináculo da existência, jubilosos com a promessa do novo estado civil a alçá-los para fora da juventude infinita — Edward e Florence, enfim livres! Um dos tópicos prediletos dos dois era falar da infância deles, não tanto dos prazeres como da bruma de equívocos cômicos da qual eles emergiram, dos vários erros dos pais e das práticas ultrapassadas que já não podiam perdoar.

Do alto dessa nova condição, eles podiam ver claro, mas não descrever um para o outro certos sentimentos contraditórios: separadamente, preocupavam-se com o momento, pouco depois do jantar, quando a nova maturidade seria testada, quando deitariam juntos na cama de dossel e se entregariam um ao outro. Por mais de um ano, Edward esteve enfeitiçado pela perspectiva de que numa determinada noite de julho sua parte mais sensível habitaria, ainda que por um breve momento, uma cavidade naturalmente formada no interior dessa mulher bela, jovial e de uma tremenda inteligência. Como isso devia ser alcançado, sem maiores absurdos ou decepções, atormentava-o. Sua inquietação específica, baseada numa experiência infeliz, dizia respeito à excitação excessiva, ao que ouvira alguém descrever como "chegar antes da hora". O assunto raramente o deixava em paz, mas, embora o medo de falhar fosse grande, sua ânsia — pelo êxtase, pela resolução — era ainda maior.

As angústias de Florence eram mais sérias, e houve momentos durante a viagem desde Oxford em que ela esteve a ponto de invocar toda a sua coragem para se abrir com o marido. Mas o que a atormentava era inexprimível, ela mal conseguia defini-lo para si mesma. Enquanto ele sofria apenas do nervosismo convencional da primeira noite, ela experimentava um horror visceral, uma náusea irremediável, tão palpável quanto um enjôo no mar. Na maior parte do tempo, durante todos os meses dos preparativos matrimoniais, ela tentou ignorar essa nódoa na sua felicidade, mas, sempre que seu pensamento voltava a um abraço mais íntimo — preferia não usar outro termo —, ficava com o estômago embrulhado e tinha engulhos no fundo da garganta. Num manual moderno e antecipatório, supostamente útil para jovens noivas, escrito em tom estimulante, com pontos de exclamação e ilustrações numeradas, ela deparou com frases ou palavras que por pouco não lhe deram ânsia de vômito: *membrana mucosa*, e a sinistra e cintilante glande. Outras frases ofenderam sua inteligência, em particular aquelas que diziam respeito a entradas: *Não muito antes de ele ter entrado nela... ou agora, por fim, ele entra nela e felizmente, logo depois de ele ter entrado nela...* Será que ela precisava servir de portal para Edward na noite de núpcias? Ou se ver transformada em ante-sala através da qual ele pudesse evoluir? Quase tão freqüente era uma palavra que não lhe sugeria nada além de dor, de carne cortada por faca: *penetração*.

Nos momentos otimistas, ela tentava se convencer de que sofria apenas de uma forma mais intensa de fastio, que logo iria passar. Sem dúvida, a imagem dos testículos de Edward, pendentes sob o pênis *ingurgitado* — outro termo horripilante —, era capaz de contrair seu lábio superior, e a idéia de ser tocada "lá embaixo" por alguém, mesmo por alguém que ela amasse, era tão repugnante quanto, digamos, um procedimento cirúrgico nos olhos. Mas sua aversão não se estendia aos bebês. Gostava deles; houve ocasiões em que cuidou dos meninos pequenos da prima e sentiu grande prazer. Achava que ia adorar ficar grávida de Edward e, em teoria, não temia o parto. Se ao menos pudesse, como a mãe de Jesus, chegar ao estado de gestação por um passe de mágica.

Florence suspeitava que houvesse alguma coisa profundamente errada com ela, achava ter sempre sido diferente e que enfim seria desmascarada. Seu problema, ela pensava, era maior e mais profundo do que a simples repulsa física; todo o seu ser se rebelava contra a perspectiva do contato e da carne; sua tranqüilidade e felicidade essencial estavam para ser violadas. Simplesmente não queria ser "entrada" ou "penetrada". Sexo com Edward não era a soma do seu prazer, mas, antes, o preço que devia pagar por ele.

Ela sabia que devia ter se aberto muito tempo antes, assim

que ele a pedira em casamento, bem antes da visita ao vigário sincero e de fala mansa, e dos jantares com os respectivos pais, antes de mandar os convites de casamento, organizar a lista de presentes e deixá-la numa loja de departamentos, antes de contratar a tenda e o fotógrafo, e antes de todos os demais arranjos irreversíveis. Mas o que teria podido dizer, que termos poderia ter usado se não conseguia nomeá-los nem para si mesma? E ela amava Edward, não com a paixão ardente e úmida sobre a qual lera, mas de um jeito cálido, profundo, às vezes como filha, e outras quase como mãe. Amava acariciá-lo, ter o braço dele, enorme, em volta dos seus ombros e ser beijada por ele, embora não gostasse da língua dele em sua boca e, sem precisar abri-la, deixara isso bem claro. Achava-o original, diferente de todas as pessoas que jamais encontrara. Ele invariavelmente trazia uma brochura, em geral de história, no bolso do paletó, no caso de se encontrar em alguma fila ou numa sala de espera. Marcava o que lia com um toco de lápis. Era possivelmente o único homem que Florence conhecera que não fumava. Suas meias nunca combinavam. Tinha apenas uma gravata fina, de tricô, azul-escura, que usava quase sempre com uma camisa branca. Ela adorava a curiosidade dele, o leve sotaque do campo, a imensa força das mãos, as guinadas e os desvios imprevisíveis da sua conversa, a gentileza com ela, e o modo como seus olhos castanhos, ternamente pousados sobre ela enquanto ela falava, faziam-na sentir-se envolvida numa afetuosa nuvem de amor. Aos vinte e dois anos, não tinha dúvidas de que queria passar o resto da vida com Edward Mayhew. Como podia ter ousado arriscar-se a perdê-lo?

Não havia ninguém com quem ela pudesse ter falado. Ruth, sua irmã, era jovem demais, e sua mãe, totalmente maravilhosa à maneira dela, era demasiado intelectual e frágil, uma sabichona ultrapassada. Sempre que se via confrontada com um problema íntimo, tendia a adotar o tom público das palestras e usar palavras cada vez mais compridas, fazendo referência a livros que achava que todos deviam ter lido. Só quando o assunto já estava seguramente imobilizado por esse discurso é que ela às vezes, embora raramente, permitia-se alguma ternura, e mesmo então não dava para você saber que tipo de conselho estava recebendo. Florence tinha alguns grandes amigos de escola e da faculdade de música que apresentavam o problema oposto: adoravam as conversas íntimas e se deleitavam uns com os problemas dos outros. Todos se conheciam entre si e eram ávidos por telefonemas e cartas. Ela não podia confiar-lhes um segredo, nem por isso os reprovava, já que fazia parte do grupo. Não teria confiado em si mesma. Estava sozinha com um problema que não sabia nem como começar a enfrentar, e toda a sabedoria que lhe restava se resumia ao manual para noivas. Na capa vermelha e espalhafatosa, estavam retratadas duas figuras sorridentes, de mãos dadas, como se fossem palitos de fósforos com olhos esbugalhados, um desenho canhestro com giz branco, que poderia ter sido feito por uma criança inocente.

Comeram o melão em menos de dois minutos, enquanto os rapazes, em vez de esperar do lado de fora, no corredor, permaneciam mais atrás, próximos à porta, remexendo na gravata-borboleta e no colarinho apertado, ou às voltas com os punhos da camisa. Seus rostos impassíveis não se alteraram ao observar Edward oferecer a Florence, com um floreio irônico, sua cereja cristalizada. De brincadeira, ela a sorveu dos dedos dele, mantendo os olhos fixos nos dele enquanto mastigava lentamente, deixando-o ver sua língua, consciente de que flertar com ele dessa maneira apenas piorava as coisas para si mesma. Não devia ter começado o que não podia manter, mas agradá-lo do jeito que pudesse a ajudava: fazia com que não se sentisse tão completamente inútil. Se, ao menos, tudo o que lhe pedissem fosse comer uma cereja viscosa.

Para mostrar que não estava incomodado com a presença dos garçons, ainda que desejasse ardentemente que fossem embora, Edward sorriu ao se recostar com o copo de vinho na mão e pediu por sobre o ombro: "Sobrou alguma coisa disso?".

"Acabou, senhor. Desculpe, senhor."

Mas a mão que segurava o copo tremia conforme ele lutava para conter a súbita felicidade, e a exaltação. Ela parecia resplandecer diante dele, e estava encantadora — era bela, sensual, talentosa, dotada de uma boa índole além do imaginável.

O rapaz que tinha falado se adiantou para tirar a mesa. Seu colega acabara de sair do quarto e estava servindo o segundo prato, o rosbife, no corredor. Não dava para entrar com o carrinho na suíte nupcial, e servi-los diretamente das travessas de prata, por conta de uma diferença de dois degraus entre o quarto e o corredor, conseqüência da falta de planejamento quando a casa de fazenda elisabetana fora "georgianizada" em meados do século XVIII.

O casal ficou a sós por um breve instante, embora ouvissem pela porta aberta o chiado das colheres raspando nos pratos e o murmúrio dos rapazes. Edward pôs a mão sobre a de Florence e disse, pela centésima vez naquele dia, num sussurro: "Eu te amo", e ela lhe correspondeu imediatamente, dizendo o mesmo, que era o que realmente sentia.

Edward se graduara com louvor em história pelo University College, de Londres. Em três breves anos, tinha estudado guerras, rebeliões, fomes, pestes, a ascensão e a queda de impérios, revoluções que consumiram seus filhos, penúrias na agricultura, a imundície industrial, a crueldade das elites dirigentes — um desfile vívido de opressão, miséria e esperanças perdidas. Entendeu quão submissa e pobre a vida podia ser, uma geração após a outra. Numa visão ampla das coisas, os tempos prósperos e pacíficos que a Inglaterra vivia agora eram raros, e, no seu interior, a felicidade dele e de Florence era excepcional, até mesmo única. No último ano da faculdade, fizera um trabalho de final de curso sobre a teoria dos "grandes homens" na história — seria de fato ultrapassado acreditar que indivíduos vigorosos fossem capazes de dar forma ao destino das nações? Sem dúvida, era o que pensava o orientador dele: na sua visão, a História, com maiúscula, avançava graças a forças inelutáveis em direção a fins inevitáveis e necessários, e logo a disciplina seria entendida como uma ciência. Mas as vidas que Edward examinara em detalhes — Júlio César; Carlos Magno; Frederico II; Catarina, a Grande; Nelson e Napoleão (Stálin ficara de fora, por insistência do orientador) — sugeriam o contrário. Uma personalidade implacável, oportunismo descarado e sorte, Edward argumentara, podiam determinar o destino de milhões, uma conclusão teimosa que lhe custaria um B-menos, e por pouco não lhe comprometeria o louvor no diploma.

Chegara à descoberta fortuita de que mesmo o sucesso lendário trazia pouca felicidade; só inquietação redobrada e o tormento da ambição. Ao se vestir para o casamento naquela manhã (fraque, cartola, um banho completo de perfume), concluíra que nenhuma das figuras na lista de convidados teria podido conhecer satisfação daquele tipo. Sua exaltação já era uma forma de grandeza em si mesma. Ali estava ele, um homem gloriosamente realizado, ou quase. Aos vinte e dois anos, já eclipsara todos os outros.

Agora, fitava a mulher, os olhos dela intricadamente castanhos e raiados, o branco ao redor da íris tingido pelo mais suave azul leitoso. Os cílios eram grossos e escuros, como os de uma criança, e também havia algo infantil na solenidade do seu rosto em repouso. Era um rosto adorável, com uma aparência escultural que sob certa luz fazia lembrar uma índia americana, uma pele-vermelha de alta estirpe. Tinha um maxilar acentuado e um sorriso largo e franco, a prumo em relação aos vincos no canto dos olhos. Sua constituição era ossuda — e algumas matronas no casamento notaram com malícia suas ancas generosas. Os seios, que Edward já havia tocado e até beijado, ainda que levemente, eram pequenos. As mãos de violinista eram pálidas e vigorosas, assim como os longos braços; no tempo de esporte na escola, ela fora uma exímia arremessadora de dardos.

Edward nunca se interessou por música clássica, mas agora estava aprendendo o jargão lépido — *legato, pizzicato, con brio*. Devagar, graças a uma cruel repetição, já conseguia reconhecer certas peças e até gostar delas. Havia uma, que ela tocava com amigos, que o emocionava em especial. Quando ela praticava suas escalas e arpejos em casa, usava um arco nos cabelos, um toque cativante que o levava a sonhar com a filha que um dia poderiam ter. A interpretação de Florence era sinuosa e precisa, e era conhecida pela riqueza dos seus tons. Um professor disse que nunca havia encontrado um aluno que fizesse uma nota mais longa soar tão calorosa. Quando ela estava diante do atril, na sala de ensaios, em Londres, ou no quarto dela na casa dos pais, em Oxford, com Edward estendido na cama, a observá-la e desejá-la, mantinha uma postura graciosa, com as costas eretas e a cabeça erguida orgulhosamente, conforme lia a música com uma expressão sobranceira, quase altiva, que o comovia. Aquele olhar tinha tanta convicção, tanto conhecimento do caminho para o prazer.

Quando se tratava de música, seus movimentos eram sempre fluidos e confiantes — ao passar resina no arco, ao encordoar o instrumento, ao rearrumar o quarto a fim de acomodar os três amigos de faculdade para o quarteto de cordas que era a sua paixão. Ela era a líder incontestável e sempre ficava com a palavra final nos vários desentendimentos musicais entre eles. Mas no resto de sua vida era surpreendentemente desajeitada e insegura, sempre dando topadas, ou derrubando coisas, ou batendo com a cabeça. Os dedos que podiam tocar duas notas simultâneas numa partita de Bach eram igualmente ágeis quando se tratava de derramar uma xícara de chá sobre uma toalha de mesa de linho ou deixar cair um copo no chão de pedra. Ela podia tropeçar nos próprios pés se se sentisse observada — tinha confidenciado a Edward que era um suplício caminhar na rua na direção de um amigo à distância. Sempre que estava demasiado ansiosa ou constrangida, levantava a mão repetidas vezes para afastar um fio de cabelo imaginário da testa, gesto comedido e nervoso que continuava bem depois de ter desaparecido a fonte de tensão.

Como ele podia deixar de amar alguém tão estranha e calorosamente especial, tão sofridamente honesta e ciente de si, cujos pensamentos e emoções se expunham em toda a sua nudez, como partículas energizadas em torrentes através de seus gestos e expressões? Mesmo sem a beleza dela, robusta e angulosa, ele teria que amá-la. E ela o amava com tamanha intensidade, com tamanha e excruciante reticência física. Não eram só as paixões dele, intensificadas pela falta de escoadouro, que acabavam excitadas, mas também seus instintos protetores. Mas será que ela era realmente vulnerável? Certa vez, ele dera uma espiada na pasta em que ela guardava os boletins da escola e vira o resultado dos testes de inteligência: cento e cinqüenta e dois, dezessete pontos acima do seu próprio escore. Naquela época, esses quocientes serviam para medir algo tão tangível quanto a altura ou o peso. Quando ele assistia a um ensaio do quarteto e ela discordava de Charles, o violoncelista gordinho e assertivo, cujo rosto brilhava com acne recém-desabrochada, quanto a um fraseado, um ritmo ou uma dinâmica, Edward ficava intrigado com a frieza de Florence. Ela não argumentava; escutava com tranqüilidade e então anunciava sua decisão. Nenhum sinal do cabelo caído na testa. Ela sabia do que estava falando, e estava determinada a liderar, como cabia ao primeiro violino. Parecia capaz de levar o pai, amedrontador em princípio, a fazer o que ela quisesse. Muitos meses antes do casamento, ele tinha, por sugestão dela, oferecido um emprego a Edward. Se é que ele realmente queria isso, ou ousava recusá-lo, era outra questão. E ela sabia, por alguma osmose feminina, exatamente o que era necessário à cerimônia, do tamanho da tenda à quantidade de pudim de frutas vermelhas, e justo o que devia esperar que o pai pagasse.

"Aí vêm eles", ela sussurrou, enquanto apertava a mão dele, a alertá-lo contra uma nova e súbita intimidade. Os garçons chegavam com os pratos de carne, o dele com o dobro de altura do dela. Também traziam bolo embebido em xerez, queijo cheddar e chocolates recheados de hortelã, que arrumaram num aparador. Depois de resmungar as instruções de como tocar a campainha ao lado da lareira para chamá-los — deviam pressioná-la com força e mantê-la apertada —, os rapazes se retiraram, fechando a porta com extremo cuidado. Em seguida, ouviu-se o tinido do carrinho se afastando pelo corredor e, depois de um silêncio, um pio ou um berro que podia muito bem ter vindo do bar do hotel no andar de baixo, e, finalmente, os recém-casados estavam a sós.

Uma mudança ou a intensificação do vento trouxe-lhes o barulho das ondas, quebrando como um distante estilhaço de copos. A névoa começava a se levantar, revelando parte do contorno das colinas baixas, que se afastavam em curva acima da orla para o leste. Dava para avistar uma luminosidade cinzenta e suave, que podia ser a superfície sedosa do próprio mar ou a lagoa ou o céu — era difícil dizer. A mudança da brisa trouxe um alento pelas janelas de batente entreabertas, uma fragrância salgada de oxigênio e de ar livre que parecia incompatível com a engomada toalha de mesa, o molho engrossado com farinha de milho e os talheres muito lustrosos que tinham nas mãos. O almoço de casamento fora farto e prolongado. Não estavam com fome. Em teoria, podiam abandonar seus pratos, agarrar a garrafa de vinho pelo gargalo, correr até a praia, livrar-se dos sapatos e exultar de tanta liberdade. Ninguém no hotel haveria de impedi-los. Afinal, eram adultos em férias, livres para fazer o que bem entendessem. Em poucos anos, seria o tipo de coisa que todo jovem faria. Mas, por enquanto, a época os retinha. Mesmo quando Edward e Florence estavam a sós, mil regras não ditas continuavam a se impor. Era precisamente por serem adultos que não se entregavam a infantilidades como abandonar no meio uma refeição que outros se deram o trabalho de preparar. Era hora do jantar, apesar de tudo. E ser infantil ainda não era louvável nem tinha entrado na moda.

Ainda assim, Edward sentia-se inquieto com o chamado da praia, e, se soubesse como introduzir o assunto, ou como justificá-lo, teria podido sugerir que saíssem imediatamente. Lera em voz alta para Florence, num guia, que milhares de anos de pancadas de tempestade tinham peneirado e organizado o tamanho dos seixos ao longo dos vinte e oito quilômetros de praia, com as pedras maiores na extremidade leste. Rezava a lenda que os pescadores locais, ao voltar para terra no meio da noite, sabiam exatamente onde estavam, pelo tamanho dos seixos. Florence havia sugerido que fossem verificar por conta própria, comparando punhados coletados com um quilômetro de distância um do outro. Teria sido melhor arrastar-se ao longo da praia do que ficar ali sentado. O teto, que já era bastante baixo, parecia ainda mais baixo, e cada vez mais próximo de sua cabeça. Do seu prato, misturado à brisa do mar, vinha um cheiro de marisco, como o hálito do cão de sua família. Talvez ele não estivesse tão feliz quanto tentava se convencer de que estava. Sentiu uma terrível pressão estreitando-lhe o pensamento, constrangendo-lhe a fala, sofria de um desconforto físico agudo — parecia que suas calças ou as cuecas tinham encolhido.

Mas, se um gênio tivesse surgido à mesa para realizar o desejo mais urgente de Edward, ele não teria pedido nenhuma praia no mundo. Tudo o que queria, tudo em que podia pensar era em deitar com Florence, os dois juntos e nus, na cama do quarto adjacente, confrontados por fim com a experiência aterradora que parecia tão distante do dia-a-dia quanto a visão de um êxtase religioso, ou até da própria morte. A perspectiva — será que ia de fato acontecer? com ele? — mais uma vez lhe deu um frio na barriga, e ele teve a sensação momentânea de que pudesse desmaiar, o que disfarçou com um suspiro de satisfação.

Como a maioria dos moços do seu tempo, ou de qualquer outro, desprovido de um modo fácil ou de meios para a expressão sexual, ele se satisfazia constantemente com o que uma autoridade esclarecida agora chamava de "autoprazer". Edward ficou encantado ao descobrir o termo. Nascera muito tarde no século, em 1940, para crer que estivesse abusando do seu corpo, que sua visão ficaria comprometida ou que Deus estivesse de olho, com uma incredulidade implacável, conforme ele se curvava para a tarefa diária. Ou mesmo que todos deduzissem sua prática com base em seu olhar baço e introvertido. De todo jeito, uma certa desonra indistinta pesava sobre os esforços dele, um sentido de fracasso ou desperdício e, é claro, de solidão. O prazer era realmente um benefício incidental. O objetivo era o alívio — do desejo limitador do pensamento e urgente do que não podia ser imediatamente possuído. Era extraordinário que uma simples colherada produzida pelo seu corpo, ao ser expelida, pudesse num instante liberar sua mente para um novo confronto com a determinação do almirante Nelson na batalha da baía de Abu Qir.

A única e mais importante contribuição de Edward para os preparativos do casamento fora se conter por mais de uma semana. Nunca desde os doze anos havia sido tão casto consigo mesmo. Queria estar em plena forma para a noiva. Não era fácil, especialmente à noite na cama, ou de manhã quando acordava, ou durante as longas tardes, ou nas horas que precediam o almoço, ou depois do jantar, nas horas antes de deitar-se. Agora, finalmente, estavam casados e a sós. Por que não largou o rosbife e se levantou para cobri-la de beijos e conduzi-la à cama de dossel ali ao lado? Não era tão simples. Ele tinha uma longa e repetida história de enfrentamento com a timidez de Florence. Terminara por respeitá-la, e mesmo reverenciá-la, confundindo-a com uma forma de recato, um véu de convenções a encobrir uma rica natureza sexual. No conjunto, parte da sua personalidade intricada e profunda, e a prova da sua qualidade. Convenceu-se de que a preferia dessa maneira. Não chegou a formular para si mesmo, mas a reticência dela convinha à sua própria ignorância e falta de confiança; uma mulher mais sensual e exigente, uma mulher *fogosa*, teria podido aterrorizá-lo.

O namoro deles foi uma pavana, um desdobramento solene, demarcado por protocolos nunca acordados ou ditos, apesar de geralmente cumpridos. Nada jamais era discutido — tampouco sentiam a falta de conversas íntimas. Esses eram assuntos além das palavras, além das definições. A linguagem e a prática da terapia, a moeda corrente dos sentimentos diligentemente compartilhados, mutuamente analisados, em geral ainda não tinham entrado em circulação. Embora fosse possível ouvir falar de gente rica fazendo psicanálise, ainda não era comum ver-se em termos diários como um enigma, um exercício de história narrativa ou um problema à espera de ser resolvido.

Entre Edward e Florence nada acontecia rápido. Avanços

importantes, permissões implicitamente concedidas quanto ao que ele podia ver ou acariciar, eram alcançados apenas gradualmente. O dia em outubro quando ele viu pela primeira vez os seios dela nus precedeu em muito o dia em que pôde tocá-los — 19 de dezembro. Ele os beijou em fevereiro, embora não os mamilos, os quais roçou com os lábios uma vez, em maio. Ela se permitia avançar sobre o corpo dele ainda com maior cautela. Movimentos súbitos ou sugestões radicais da parte dele podiam arruinar meses de trabalho. A noite no cinema durante uma sessão de *Um gosto de mel* em que ele puxou a mão dela e a enfiou entre as próprias pernas fez todo o processo retroceder semanas. Ela não ficou gélida, nem mesmo fria — não era esse o jeito dela —, mas imperceptivelmente remota, talvez tenha se decepcionado, ou até se sentido ligeiramente traída. Retraiu-se sem jamais deixá-lo duvidar do amor dela. E então, por fim, as coisas retomaram seu curso normal: quando estavam a sós numa tarde de sábado no final de março, com chuva forte nas janelas da sala bagunçada da pequena casa dos pais dele, em Chiltern Hills, ela deixou a mão descansar brevemente sobre seu pênis ou perto dele. Por menos de quinze segundos, com uma esperança e um êxtase crescentes, ele a sentiu através de duas camadas de tecido. Assim que ela retirou a mão, ele entendeu que já não podia agüentar. E a pediu em casamento.

Ele não podia imaginar o tanto que havia custado a ela pôr a mão — as costas da mão — em tal lugar. Ela o amava, queria agradá-lo, mas tinha que superar uma aversão considerável. Foi uma tentativa honesta — ela podia ter sido mais clara, mas não era movida por malícia. Manteve a mão ali pelo tempo que conseguiu, até sentir uma agitação e um endurecimento sob as calças de flanela. Sentiu uma coisa viva, totalmente separada de Edward — e recuou. Foi quando ele proferiu a proposta de casamento, e, no ímpeto da emoção, da alegria, do júbilo e do alívio, entre abraços súbitos, ela por um instante esqueceu o pequeno choque. E ele ficou tão espantado com a própria determinação, assim como estava mentalmente paralisado pelo desejo irresoluto, que nem pôde fazer idéia da contradição que, a partir daquele dia, passou a viver com ela, o caso secreto entre o asco e o prazer.

Em teoria, uma vez sozinhos, estavam livres para fazer o que quisessem, mas seguiram comendo o jantar para o qual não tinham nenhum apetite. Florence pousou a faca sobre o prato, estendeu a mão até a de Edward e a apertou. Ouviram, vindo do rádio no andar de baixo, as batidas do Big Ben no início do jornal das dez horas. Ao longo desse trecho da costa, a recepção de TV era ruim, por causa das colinas bem na direção do interior. Os hóspedes mais velhos deviam estar lá embaixo, na sala de estar, inteirando-se das novidades do mundo com o último trago — o hotel tinha uma boa seleção de maltes escoceses —, e alguns dos homens deviam estar preparando seus cachimbos para a derradeira pitada do dia. Reunir-se em volta do rádio para o principal boletim de notícias era um hábito do tempo da guerra que eles nunca perderiam. Edward e Florence reconheceram entre as manchetes abafadas o nome do primeiro-ministro, para um ou dois minutos depois ouvir sua voz familiar, elevada num discurso. Harold Macmillan acabava de fazer uma conferência em Washington sobre a corrida armamentista e a necessidade da proibição dos testes. Quem poderia discordar de que era insensatez prosseguir com os testes da bomba H na atmosfera, irradiando todo o planeta? Mas ninguém com menos de trinta anos — certamente, não Edward e Florence — acreditava que um primeiro-ministro britânico pudesse ter alguma ascendência sobre assuntos globais. A cada ano o Império encolhia, conforme uma nova leva de países conquistava sua independência por direito. Agora já não sobrava quase nada, e o mundo pertencia aos americanos e aos russos. A Grã-Bretanha, a Inglaterra era uma potência menor — e dizer isso dava um certo gosto blasfematório. No andar de baixo, é claro, eles tinham uma visão diferente. Qualquer um com mais de quarenta havia lutado ou sofrido na guerra, conhecia a morte numa escala incomum e não teria podido acreditar que a passagem à irrelevância fosse o prêmio por tanto sacrifício.

Edward e Florence votariam pela primeira vez nas eleições gerais seguintes, e estavam entusiasmados com a idéia de uma vitória esmagadora dos trabalhistas, como a de 1945. Em um ou dois anos, a velha geração, que ainda sonhava com o Império, teria certamente que ceder a vez a políticos como Gaitskell, Wilson e Crosland — novos homens com uma visão de país moderno, onde houvesse igualdade e as coisas fossem de fato realizadas. Se os Estados Unidos tinham um presidente exuberante e boa-pinta como Kennedy, a Grã-Bretanha podia ter algo semelhante — pelo menos no espírito, já que não havia ninguém tão glamouroso no Partido Trabalhista. O tempo tinha passado para os ultraconservadores, que continuavam a lutar a última guerra, nostálgicos de suas disciplinas e privações. Edward e Florence compartilhavam o sentimento de que em breve o país seria transformado para melhor, que novas energias estavam querendo desafogar-se, como uma máquina a vapor sob pressão, e isso se fundia com a excitação da sua própria aventura juntos. Os anos 60 eram a primeira década da vida deles como adultos, e certamente lhes pertencia. Os fumantes de cachimbo no andar de baixo, com seus paletós de botões de prata, suas doses duplas de Caol Ila, as memórias das campanhas na África do Norte e na Normandia, e os cultuados restos de gíria militar, não podiam reivindicar nada do futuro. Seu tempo acabou, senhores. Por favor!

O nevoeiro continuava a subir, descortinando as árvores próximas, as colinas verdes e nuas atrás da lagoa e trechos do mar prateado, conforme o ar suave da noite também envolvia a mesa à qual eles fingiam seguir comendo, aprisionados por suas angústias íntimas naquele instante. Florence apenas empurrava a comida de um lado para outro do prato. Edward comia nacos simbólicos de batata, que entalhava com a ponta do garfo. Escutaram impotentes a segunda notícia da noite, conscientes da idiotice de manter a atenção em sintonia com a dos hóspedes no andar de baixo. Era sua noite de núpcias, e não tinham nada a dizer. Conseguiram discernir "Berlim" entre as palavras indistintas que subiam de sob os pés deles, e logo compreenderam que se tratava da história que vinha cativando a todos ultimamente. Uma fuga do lado oriental comunista para o lado ocidental da cidade, por meio de um vapor tomado à força no lago Wannsee, com os refugiados agachados na casa do leme para se esquivar das balas dos guardas do leste. Escutaram a notícia e depois, intoleravelmente, a terceira, sobre a sessão de encerramento de uma conferência islâmica em Bagdá.

Atraídos para os acontecimentos mundiais por sua própria estupidez! Não era possível continuar assim. Chegara a hora de agir. Edward afrouxou a gravata e se desfez com determinação do garfo e da faca, pousando-os em paralelo no centro do prato.

"Podíamos descer e escutar direito."

Esperava estar demonstrando senso de humor, ao dirigir seu sarcasmo contra ambos, mas suas palavras emergiram com uma ferocidade surpreendente, e Florence corou. Achou que ele a estivesse criticando por preferir o rádio a ele e, antes que ele pudesse atenuar ou suavizar o comentário, adiantou-se e disse: "Ou podíamos nos deitar na cama", furtando-se nervosa a um fio de cabelo invisível sobre a testa. Para mostrar a que ponto ele estava enganado, ela agora propunha o que sabia ser o que ele mais queria e o que mais a apavorava. Ela realmente teria ficado mais feliz, ou menos infeliz, se tivessem descido ao saguão e passado o tempo a conversar tranqüilamente com as matronas nos sofás estampados com motivos florais, enquanto os homens se inclinavam com seriedade sobre as notícias e o rebuliço da história. Tudo menos isso.

Seu marido sorria, em pé do outro lado da mesa, estendendo-lhe as mãos cerimoniosamente. O rosto também estava um pouco corado. O guardanapo ficou grudado por um instante na cintura dele, pendurado de uma forma absurda, como uma tanga, antes de adejar até o chão em câmera lenta. Não havia nada que ela pudesse fazer, além de desmaiar, e ela era péssima atriz. Então, levantou-se e tomou a mão dele, certa de que o sorriso com que lhe correspondia era de uma rigidez inconvincente. Não teria sido de nenhuma ajuda saber que Edward em seu estado enlevado nunca a achara tão atraente. Alguma coisa em relação aos braços dela — ele se lembrava de ter pensado depois —, esguios e vulneráveis, prestes a se entrelaçarem em adoração em volta do pescoço dele. E seus belos olhos castanho-claros, reluzentes de uma paixão inegável, e o leve estremecimento no lábio inferior, que até nesse momento ela umedecia com a língua.

Com a mão livre, ele tentou agarrar a garrafa de vinho e os copos ainda pela metade, mas era demasiado difícil e complicado — os copos bojudos, arqueados um contra o outro, faziam as hastes se entrecruzarem em sua mão, derramando o vinho. Pegou só a garrafa pelo gargalo. Mesmo naquele estado exaltado e irrequieto, ele ainda achava que entendia a reticência habitual dela. Tanto maior, portanto, a causa da alegria, que enfrentassem juntos esse momento importante, a fronteira da experiência. E o mais excitante era que tivesse sido Florence a sugerir que fossem deitar na cama. A mudança de estado civil a liberara. Ainda segurando a mão dela, ele deu a volta na mesa e se aproximou para beijá-la. Achando que pudesse ser vulgar fazê-lo com uma garrafa de vinho na mão, devolveu-a à mesa.

"Você está muito bonita", murmurou.

Ela se esforçou para lembrar o quanto o amava. Ele era gentil e sensível, amava-a, e não lhe faria nenhum mal. Ela se encolheu ainda mais dentro daquele abraço, apertada contra o peito dele, a aspirar o cheiro familiar, que lembrava madeira e a tranqüilizava.

"Estou tão feliz aqui com você."

"Também estou feliz", ela disse, com serenidade.

Quando se beijaram, ela sentiu imediatamente a língua dele, retesada e robusta, avançar entre seus dentes, como um rufião abrindo caminho à força até um quarto. Entrando nela. A sua própria língua se dobrou e retraiu numa aversão automática, dando ainda mais espaço à de Edward. Ele sabia muito bem que ela não gostava desse tipo de beijo, e nunca fora tão impositivo. Com os lábios firmemente pregados nos dela, devassou-lhe o fundo carnudo da boca, e em seguida fez um movimento circular por trás dos dentes da arcada inferior até o vazio onde três anos antes um dente de siso crescera torto, para acabar removido sob anestesia geral. Era nessa cavidade que a língua dela normalmente se perdia, quando ela própria estava perdida em pensamentos. Por associação, tinha mais a ver com uma idéia do que com uma localização, era mais um lugar privado e imaginário do que um vão na gengiva, e a ela parecia estranho que outra língua também pudesse ter a permissão de chegar até lá. Era a ponta aguçada e dura desse músculo alienígena, vivo e palpitante, que a repugnava. A mão esquerda dele estava espalmada acima das omoplatas dela, logo abaixo do pescoço, alavancando a cabeça dela contra a dele. A claustrofobia e a falta de ar se igualavam quando ela decidiu que não suportaria ofendê-lo. Ora ele estava sob a língua dela, empurrando-a para cima, contra o céu da boca, ora sobre a língua, empurrando-a para baixo, e depois deslizando com suavidade pelos lados e em círculo, como se achasse que podia dar-lhe um nó simples. Queria enredar a língua dela em algum tipo de atividade própria, induzi-la a um abominável dueto mudo, mas ela só conseguia se encolher e se concentrar em não reagir, não ter engulhos e não entrar em pânico. Se vomitasse na boca dele — e esse era um pensamento desvairado —, o casamento estaria terminado num instante, e ela teria de voltar para casa e explicar aos pais. Entendia perfeitamente que esse negócio de línguas, essa penetração, era uma representação em escala menor, um ritual do que ainda estava por vir, como um *tableau vivant*, o prólogo de uma velha peça que anuncia tudo o que acontecerá em seguida.

Enquanto esperava que esse momento particular passasse, com as mãos apoiadas por convenção nos quadris de Edward, Florence se deu conta de que havia topado com um lugar-comum, bastante evidente em retrospecto, tão primitivo e antigo quanto *danegeld** ou *droit de seigneur*,** e cuja definição era quase tão elementar: ao decidir casar-se, foi exatamente isso que ela aceitou. Tinha concordado que era certo fazer isso, e que isso fosse feito com ela. Quando ela e Edward e seus pais seguiram em fila para a lúgubre sacristia depois da cerimônia, para assinar o registro, foi nisso que puseram seus nomes, e todo o resto — a suposta maturidade, os confeitos e o bolo — era só uma distração educada. Se não gostasse, a responsabilidade era só dela, uma vez que todas as suas escolhas ao longo do ano anterior convergiram para isso, a culpa era toda sua, e agora ela realmente achava que ia vomitar.

* Antigo imposto territorial.

** Direito do senhor feudal de ter relações sexuais com a noiva do súdito na noite de núpcias.

Ao ouvi-la gemer, Edward sentiu que sua felicidade estava quase completa. Tinha a impressão de uma agradável falta de gravidade, de flutuar a muitos centímetros do chão, pairando altaneiro sobre ela. Era com um misto de prazer e dor que ele sentia o coração bater mais forte na base da garganta. Estava excitado pelo leve toque das mãos dela, não muito longe da sua virilha, pela anuência daquele corpo adorável envolvido em seus braços e pelo som exaltado que ela fazia ao respirar rapidamente pelas narinas. Alcançou um estado de êxtase desconhecido, frio e agudo logo abaixo das costelas, quando a língua dela envolveu a sua e a empurrou. Talvez pudesse convencê-la em breve — talvez esta noite, e talvez ela nem precisasse ser convencida — a pôr o pau dele em sua boca macia e bela. Mas esse era um pensamento que ele precisava afastar para o mais longe que pudesse, pois corria o risco de realmente chegar antes da hora. Já podia sentir o início das palpitações a empurrá-lo para a desonra. Bem a tempo, pensou nas notícias, no rosto do primeiro-ministro, Harold Macmillan, alto e curvado, com cara de morsa, um herói de guerra, um antiquado, ele era tudo o que o sexo não era, e ideal para aquele propósito. Déficit da Balança Comercial, Suspensão de Pagamento, Manutenção do Preço de Revenda. Alguns o amaldiçoaram por ele ter entregado o Império, mas realmente não tinha escolha, com os novos ventos soprando na África. Ninguém teria engolido a mesma mensagem de um trabalhista. E ele acabava de exonerar um terço do seu gabinete na "noite dos longos punhais". Era preciso ter coragem para tanto. "Mac, o Estripador", dizia uma das manchetes; "Macbeth!", dizia outra. Pessoas sérias o acusaram de enterrar a nação sob uma avalanche de televisores, carros, supermercados e outras sucatas. Ele deu às pessoas o que elas queriam. Pão e circos. Uma nova nação, e agora queria que nos juntássemos à Europa, e quem podia garantir que ele estivesse errado?

Por fim, tudo se equilibrou. Os pensamentos de Edward se dissolveram, e ele voltou a ser a sua língua, a pontinha dela, bem na hora em que Florence decidiu que já não agüentava. Sentia-se atada e asfixiada, estava sufocando e com enjôo. Podia ouvir um som progressivo, subindo constante, não em graus como numa escala, mas num lento glissando, não como um violino ou uma voz, mas entre os dois, um crescendo insuportável, sem nunca deixar o campo auditivo, uma voz-violino no limiar do sentido, dizendo-lhe alguma coisa urgente em sibilantes e vogais mais primitivas do que as palavras. Podia ser no interior do quarto, ou no corredor, ou somente nos seus ouvidos, como um zumbido. Podia ser até que ela mesma estivesse fazendo aquele barulho. Não importava — tinha de se libertar.

Deu uma guinada com a cabeça e se liberou dos braços dele. Enquanto ele ainda a olhava surpreso, boquiaberto, com o rosto tomando a forma de uma pergunta, ela o segurou pela mão e o levou para a cama. Era perverso da parte dela, até insano, já que queria fugir do quarto, pelos jardins e pelo caminho até a praia, onde poderia sentar-se sozinha. Um único minuto a sós já teria ajudado. Mas o sentimento do dever era doloroso e forte, e ela não conseguia resistir a ele. Não podia nem pensar em abandonar Edward. E não tinha dúvida de que estava completamente errada. Se todos os convidados do casamento e os familiares estivessem invisíveis e socados no quarto a observá-los, todos esses fantasmas tomariam o partido de Edward e de seus desejos urgentes e justos. Admitiriam que havia algo errado com ela — e estariam certos.

Também sabia que seu comportamento era deplorável. Para sobreviver, para escapar a esse momento hediondo, tinha que elevar as apostas e se entregar à seguinte, dando a impressão inútil de que a desejava. O ato final não podia ser adiado infinitamente. O momento vinha ao seu encontro, ao mesmo tempo que ela avançava insensatamente na direção dele. Era refém de um jogo cujas regras não podia questionar. Não podia fugir à lógica que a fizera conduzir, ou rebocar, Edward através da antecâmara, na direção da porta aberta do quarto e da cama estreita de dossel com a colcha branca e lisa. Não tinha a menor idéia do que faria quando chegassem lá, mas pelo menos aquele som medonho havia cessado, e, nos poucos segundos que lhe restavam até lá, sua boca e sua língua lhe pertenciam, ela podia respirar e tentar se recuperar.

2.

Como eles se conheceram e por que esses dois amantes numa idade moderna eram tão tímidos e inocentes? Achavam-se demasiado sofisticados para acreditar no destino, mas, ainda assim, para eles permanecia como um paradoxo que um encontro tão importante pudesse ter sido acidental e dependesse de uma centena de pequenos eventos e escolhas. Era aterrorizante pensar na possibilidade de que nunca tivesse ocorrido. Logo no primeiro rasgo amoroso, disseram-se admirados com o fato de seus caminhos por pouco não terem se cruzado no início da adolescência, quando Edward descia vez por outra da casa remota e esquálida da família nas colinas de Chiltern para visitar Oxford. Era excitante pensar que pudessem ter se esbarrado num daqueles célebres eventos juvenis do município, na feira de St. Giles durante a primeira semana de setembro, ou na Manhã de Maio, de madrugada, no primeiro dia do mês — um ritual ridículo e superestimado, ambos concordavam; ou alugando um bote na casa de barcos do rio Cherwell — embora Edward só o tenha feito uma vez; ou mais tarde, no final da adolescência, durante as bebedeiras ilícitas no Turl. Ele até achava que pudesse ter sido mandado de ônibus com outros garotos de treze anos a Oxford High, para ser humilhado numa competição de conhecimentos gerais por garotas cujo saber era tão extraordinário e seguro quanto o de adultos. Talvez fossem de outra escola. Florence não se lembrava de ter participado daquela equipe, mas confessou que era o tipo de coisa de que gostava na época. Quando comparavam seus mapas mentais e geográficos de Oxford, davam-se conta de que o de um coincidia muito com o do outro.

Passaram-se os anos de infância e de escola, e, em 1958, ambos optaram por Londres — o University College para ele, o Royal College of Music para ela — e, naturalmente, desencontraram-se. Edward morava na casa de uma tia viúva em Camden Town e ia de bicicleta até Bloomsbury toda manhã. Trabalhava o dia inteiro, jogava futebol nos fins de semana e bebia cerveja com os amigos. Até tomar vergonha, costumava ter uma queda por brigas de bar. O único passatempo não físico sério era ouvir música, do tipo de blues elétrico e vigoroso que terminou por se tornar o verdadeiro precursor e o motor vital do rock and roll inglês — essa música era, na sua visão de vida, muito superior às cançonetas de três minutos dos auditórios tresloucados de Liverpool, que conquistariam o mundo em poucos anos. Ele costumava deixar a biblioteca à noite e caminhar até o Hundred Club, na Oxford Street, para escutar o Powerhouse Four, de John Mayall, ou Alexis Korner, ou Brian Knight. Durante seus três anos de estudante, as noites no clube representaram o ápice da sua experiência cultural, e nos anos que estavam por vir considerou que aquela música tinha formado seu gosto e até dado uma cara à sua vida.

As poucas garotas que conhecia — não havia muitas na universidade naquele tempo — vinham de subúrbios distantes para assistir às aulas e iam embora no fim da tarde, aparentemente sob estritas instruções paternas de estar de volta em casa até as seis. Sem dizê-lo, essas garotas transmitiam a nítida impressão de estar "se preservando" para um futuro marido. Não havia nenhuma ambigüidade — para ter uma relação sexual com qualquer uma delas, você teria que se casar primeiro. Um par de amigos, ambos futebolistas razoáveis, seguiram por esse caminho, casaram-se já no segundo ano e sumiram de vista. Um desses infelizes causou impacto especial como um caso admonitório. Depois de engravidar uma garota do escritório de administração da universidade, ele foi, segundo seus amigos, "arrastado até o altar" e desapareceu por um ano, até ser visto na Putney High Street, empurrando um carrinho de bebê, o que naquele tempo ainda era um ato aviltante para um homem.

A Pílula era um rumor nos jornais, uma promessa ridícula, mais uma daquelas bravatas sobre a América. Os blues que ele escutava no Hundred Club sugeriam a Edward que por toda parte ao seu redor, fora do seu campo de visão, os homens da idade dele estavam levando vidas sexuais explosivas e infatigáveis, repletas de prazeres de todos os tipos. A música pop era doce, ainda muito pudica no assunto, os filmes eram um pouco mais explícitos, mas no círculo de Edward os homens tinham de se contentar com piadas de sacanagem, embaraçosas bazófias sexuais e um companheirismo tempestuoso regado a bebedeiras furiosas, que reduziam ainda mais as suas chances de encontrar uma garota. Corriam boatos de que no Departamento de Inglês e, descendo a rua, na Escola de Estudos Orientais e Africanos, ou seguindo a Kingsway, na London School of Economics, homens e mulheres com jeans pretos apertados e suéteres escuros com golas pólo costumavam manter relações sexuais livres, sem que uns tivessem de conhecer os pais dos outros. Falava-se inclusive de baseados. Edward às vezes fazia excursões experimentais do Departamento de História até o de Inglês, na esperança de encontrar provas do paraíso na Terra, mas os corredores, os quadros de avisos e até mesmo as mulheres não pareciam diferentes.

Florence ficava do outro lado da cidade, perto do Albert Hall, num albergue severo para moças estudantes, onde as luzes se apagavam às onze, visitantes homens eram proibidos a qualquer hora e as meninas estavam sempre entrando e saindo dos quartos umas das outras. Florence praticava quatro horas por dia e ia a concertos com as amigas. Preferia acima de tudo os recitais de câmara no Wigmore Hall, em especial os quartetos de cordas, e às vezes chegava a assistir a cinco por semana, tanto em concertos vesperais como noturnos. Adorava a seriedade sombria do lugar, as paredes desbotadas e descascadas dos bastidores, o madeiramento envernizado e o tapete vermelho escuro do hall de entrada, o auditório com a forma de um túnel dourado, a célebre cúpula sobre o palco, representando, foi o que lhe disseram, a ânsia do homem pela abstração magnífica da música, com o Gênio da Harmonia retratado como uma bola de fogo eterno. Ela reverenciava os velhos tipos, que levavam minutos para descer dos táxis, os últimos vitorianos, coxeando com suas bengalas até suas cadeiras, para escutar a música num silêncio crítico e alerta, às vezes com a manta xadrez que traziam a cobrir-lhes os joelhos. Esses fósseis, com seus crânios salientes e murchos tombados humildemente para o palco, representavam para Florence a experiência lapidada e o juízo criterioso, ou sugeriam uma habilidade musical à qual os dedos artríticos já não podiam servir. E havia a simples emoção de saber que tantos músicos de renome mundial tocaram ali e que grandes carreiras tiveram início naquele mesmo palco. Foi ali que ela ouviu a violoncelista Jacqueline du Pré, aos dezesseis anos, fazer sua estréia. O gosto de Florence podia não ser propriamente incomum, mas era intenso. O Opus 18 de Beethoven a obcecou por um bom tempo, e em seguida os últimos grandes quartetos do compositor. Schumann, Brahms e depois, no seu último ano, os quartetos de Frank Bridge, Bartók e Britten. Ouviu todos esses compositores ao longo de três anos no Wigmore Hall.

No segundo ano, ofereceram-lhe um emprego de meio período nos bastidores: tinha de servir chá aos intérpretes na espaçosa sala verde e ficar de espreita na vigia para poder abrir a porta quando os artistas saíam do palco. Também podia virar as páginas para os pianistas em peças de câmara, e uma noite chegou a servir Benjamin Britten, em pé ao seu lado, num programa de canções de Haydn, Frank Bridge e do próprio Britten. Havia um jovem soprano, além de Peter Pears, que uma vez lhe passou uma nota de dez shillings ao sair com o grande compositor. Ela descobriu os espaços de ensaio, no prédio vizinho, embaixo da sala de piano onde pianistas lendários como John Ogdon e Cherkassky passaram manhãs inteiras a retumbar suas escalas e arpejos para cima e para baixo, como estudantes dementes de primeiro ano. O Hall se tornou uma segunda casa para ela — era como se ela possuísse cada canto obscuro e desalinhado, até mesmo os degraus frios de concreto que desciam até os banheiros.

Uma das suas tarefas era arrumar a sala verde, e uma tarde ela deparou com anotações de interpretação, feitas a lápis pelo Quarteto Amadeus, jogadas numa cesta de lixo. A caligrafia era arredondada e muito tênue, mal dava para ler, e dizia respeito ao movimento de abertura do *Quarteto nº 15*, de Schubert. Florence ficou na maior excitação ao decifrar afinal as palavras "Atacar em si!". Não podia deixar de flertar com a idéia de que recebera uma mensagem importante, um aviso vital, e passadas duas semanas, não muito depois do início do seu último ano, convidou três dos melhores alunos da escola a se juntar a ela em seu próprio quarteto.

O violoncelista era o único homem, mas Charles Rodway não lhe despertava nenhum interesse romântico. Os homens na escola, músicos devotados, encarniçadamente ambiciosos e ignorantes de tudo o que estivesse além de seu instrumento de escolha e de seu repertório, nunca a atraíram. Sempre que uma das garotas do grupo começava a namorar firme outro estudante, simplesmente desaparecia da vida social, assim como os amigos futebolistas de Edward. Era como se a moça tivesse entrado para um convento. Já que não parecia possível sair com um rapaz e continuar freqüentando os velhos amigos, Florence preferia ficar com seu grupo de albergue. Gostava da zombaria, da intimidade, da gentileza, do modo como as garotas se desdobravam nos aniversários umas das outras, e de como faziam um estardalhaço simpático, indo e vindo com chaleiras, cobertores e frutas, quando alguém por acaso pegava uma gripe. Os anos de universidade fizeram-na sentir-se livre.

Os mapas de Londres de Edward e de Florence mal coincidiam. Ela conhecia muito pouco dos pubs de Fitzrovia e do Soho, e, embora sempre quisesse ter ido lá, nunca visitara a Sala de Leitura do Museu Britânico. Ele não conhecia nada do Wigmore Hall ou das casas de chá no bairro dela, e nunca fez piquenique no Hyde Park nem pegou um barco no Serpentine. Foi com exaltação que descobriram ter estado em Trafalgar Square ao mesmo tempo, em 1959, entre vinte mil pessoas, todas decididas a banir a bomba.

Não se encontraram até depois de concluir seus cursos em Londres, quando voltaram para as casas das respectivas famílias e para o sossego de suas infâncias, para esperar sentados do lado de fora, por uma ou duas semanas de tédio e calor, pelos resultados das provas. Mais tarde, o que mais os deixaria intrigados era a facilidade com que o encontro poderia não ter ocorrido. Para Edward, esse dia particular poderia ter sido como a maioria — quando se retirava para o fundo do jardim estreito e sentava num banco musguento à sombra de um olmo gigante, para ler fora do alcance da mãe. A cinqüenta metros dali, na cozinha ou na janela da sala, o rosto dela, pálido e vago, como uma de suas aquarelas, ficaria por vinte minutos seguidos a fitá-lo. Ele tentava ignorá-la, mas o olhar dela era como o toque de sua mão nas costas ou no ombro dele. Em seguida, ele a ouviria no piano no andar de cima, tropeçando em alguma das composições dos *Cadernos de Anna Magdalena*, a única obra de música clássica que ele conhecia na época. Meia hora depois, ela poderia estar de volta à janela, novamente a observá-lo. Nunca saía para falar com ele se o via com um livro. Anos antes, quando Edward ainda estava na escola, o marido a instruíra a nunca interromper os estudos do filho.

Naquele verão, depois das provas, o interesse dele eram os cultos medievais fanáticos e seus líderes psicóticos, que regularmente se proclamavam o Messias. Conduzidos por noções tiradas do Apocalipse de São João e do Livro de Daniel, convencidos de que o papa era o Anticristo, que o fim do mundo se aproximava e apenas os puros seriam salvos, milhares varreram o campo alemão, em turbas, de uma cidade a outra, massacrando judeus sempre que os encontravam, assim como padres e às vezes os ricos. E, então, as autoridades suprimiam violentamente o movimento, e outra seita florescia em outra parte, poucos anos depois. De dentro da apatia e da segurança da sua existência, Edward lia sobre esses acessos de desrazão com um fascínio horrorizado, agradecido por viver num tempo em que a religião em geral se dissolvera na insignificância. Estava pensando em se candidatar a um doutorado, se suas notas fossem suficientemente boas. Essa loucura medieval podia ser seu tema de estudo.

Em caminhadas pelas florestas de faias, sonhava com uma série de biografias curtas que escreveria sobre tipos semi-obscuros que tangenciaram o centro de importantes eventos históricos. O primeiro seria Sir Robert Carey, o homem que cavalgou de Londres a Edimburgo em setenta horas para dar a notícia da morte de Elisabete I a seu sucessor, Jaime VI da Escócia. Carey era uma figura interessante, ainda com a vantagem de ter escrito as próprias memórias. Lutou contra a Armada Espanhola, era um exímio espadachim e protetor dos Homens de Lord Chamberlain. Sua árdua cavalgada para o norte supostamente lhe garantiria grande ascendência a serviço do novo rei, mas, ao contrário, ele acabou caindo em relativo ostracismo.

Em momentos mais realistas, Edward achava que devia encontrar um emprego de verdade, ensinando história num curso ginasial, e assim assegurando que evitava o serviço militar.

Quando não estava lendo, costumava tomar o caminho da alameda de tílias até o vilarejo de Northend, onde vivia Simon Carter, um colega de escola. Mas nessa manhã específica, farto dos livros e do canto dos pássaros e da paz do campo, Edward foi buscar no depósito a bicicleta raquítica da infância, levantou o selim, encheu os pneus e saiu sem nenhum plano em particular. Tinha uma nota de uma libra e duas meias coroas no bolso, e tudo o que queria era seguir adiante. Numa velocidade imprudente, já que os freios mal funcionavam, ele voou por um túnel verde, desceu a colina íngreme, deixando para trás a fazenda de Balham e depois a de Stracey, até o vale de Stonor, e, ao passar zunindo pela cerca de ferro do Parque, decidiu seguir até Henley, por mais seis quilômetros. Quando chegou à cidade, pegou o rumo da estação ferroviária com a intenção difusa de ir até Londres visitar amigos. Mas o trem parado na plataforma ia na direção oposta, para Oxford.

Uma hora e meia depois, ele deambulava pelo centro da

cidade sob o calor do meio-dia, ainda vagamente entediado, e irritado consigo mesmo por ter gastado tempo e dinheiro. Essa costumava ser a sua capital regional, a fonte ou a promessa de quase toda a sua excitação adolescente. Mas, depois de Londres, parecia uma cidade de brinquedo, enfadonha e provinciana, ridícula nas suas pretensões. Quando um porteiro usando um *trilby*,* à sombra da entrada de uma faculdade, olhou-o feio, por pouco Edward não voltou atrás para lhe pedir satisfações. Em vez disso, decidiu oferecer a si mesmo uma cerveja consolatória. Seguindo pela St. Giles na direção do Eagle and Child, deparou com um cartaz escrito à mão, promovendo um encontro à hora do almoço da célula local da Campanha pelo Desarmamento Nuclear,** e hesitou. Não gostava muito dessas reuniões militantes, nem da retórica dramática, nem da retidão pesarosa. É claro que as armas eram hediondas e deviam ser proibidas, mas nunca aprendeu nada de novo num desses encontros. O fato é que era um membro de carteirinha, não tinha mais nada a fazer, e sentiu um vago chamamento da obrigação. Cabia a ele ajudar a salvar o mundo.

Avançou por um corredor de ladrilhos até um salão sombrio com vigas baixas e pintadas e um cheiro eclesial de poeira e madeira polida, onde ecoava um débil desacordo de vozes. Assim que seus olhos se acostumaram, a primeira pessoa que ele viu foi Florence, em pé ao lado de uma porta, conversando com um tipo pegajoso e de rosto amarelado que carregava uma pilha de panfletos. Ela estava com um vestido de algodão branco, que cintilava como se fosse de festa, e um cinto azul e fino, de couro, bem apertado na cintura. Por um instante, ele pensou que ela fosse uma enfermeira — de um modo abstrato e convencio-

* Chapéu mole de feltro.

** CND, na sigla em inglês.

nal, achava as enfermeiras eróticas, porque — assim gostava de fantasiar — já conheciam tudo sobre o corpo dele e suas necessidades. Ao contrário da maioria das garotas que ele encarava na rua ou nas lojas, ela não desviou os olhos. Seu olhar era zombeteiro e jocoso, e talvez entediado, à procura de divertimento. Era um rosto estranho, certamente belo, mas de um jeito angular e esculpido. Na penumbra do salão, a qualidade singular de um raio de luz que descia de uma janela alta até o lado dela fazia seu rosto parecer uma máscara talhada, elevada e serena, difícil de decifrar. Ele não havia parado ao entrar no salão. Estava caminhando na direção dela sem saber o que diria. No que concerne às abordagens, ele era seguramente inepto.

O olhar dela se manteve nele enquanto ele se aproximava, e, quando estava bastante perto, ela pegou um panfleto da pilha do amigo e disse: "Quer um? Trata de uma bomba de hidrogênio caindo em Oxford".

Quando ele pegou o panfleto, o dedo dela roçou, certamente não por acaso, a parte inferior do seu pulso. Ele disse: "Não consigo imaginar nada que eu preferisse ler".

O sujeito ao lado dela o olhava com virulência, à espera de que fosse embora, mas Edward permaneceu exatamente onde estava.

Ela também ficava inquieta em casa, uma grande vila vitoriana em estilo gótico a quinze minutos a pé da Banbury Road. Violet, sua mãe, passava os dias de calor corrigindo provas e não tolerava a rotina dos ensaios de Florence — escalas e arpejos repetidos, exercícios bicordes, testes de memória. "Guincho" era o termo que Violet usava, como em: "Querida, ainda não terminei por hoje. Não daria para retardar os guinchos para depois do chá?".

A intenção, supostamente, era fazer uma piada afetuosa, mas Florence, que já estava excepcionalmente irritável naquela semana, tomou isso como mais uma prova da desaprovação da mãe a sua carreira, e de sua hostilidade à música em geral, e, portanto, à própria Florence. Sabia que devia ter pena da mãe. Seu ouvido musical era tão reduzido, que ela era incapaz de reconhecer uma única melodia, mesmo se fosse o hino nacional, que só conseguia distinguir do "Feliz aniversário" pelo contexto. Era uma dessas pessoas que não podiam dizer se uma nota era mais baixa ou mais alta que outra. Essa deficiência e essa infelicidade não eram menores do que nascer com um pé torto ou com um lábio leporino, mas, depois da relativa liberdade de Kensington, Florence estava achando a vida doméstica opressiva a cada minuto e não conseguia demonstrar nenhuma simpatia. Por exemplo, não se incomodava em fazer a cama todas as manhãs — sempre fizera —, mas ficava melindrada quando lhe perguntavam a cada café-da-manhã se a tinha feito.

Como costumava acontecer sempre depois que ela passava um tempo fora, seu pai despertava nela emoções conflituosas. Houve momentos em que ela o achou fisicamente repulsivo e mal suportava vê-lo — a careca brilhosa, as mãos brancas e pequeninas, os projetos incansáveis para prosperar nos negócios e ganhar ainda mais dinheiro. E aquela voz alta de tenor, ao mesmo tempo enganadora e sobranceira, com seus acentos excentricamente distribuídos. Ela odiava ouvir seus relatos entusiásticos sobre o barco, ridiculamente batizado de *Sugar Plum,** que ele mantinha no ancoradouro de Poole. Davam-lhe nos nervos as descrições de um novo tipo de vela, um rádio barco-terra, um verniz especial para iates. Ele costumava levá-la com ele, e muitas vezes, quando Florence tinha doze e treze anos, os dois atra-

* Bombom.

vessaram o canal da Mancha até Carteret, perto de Cherbourg. Nunca falavam daqueles passeios. Nunca mais a convidara, e ela ficava agradecida. Mas às vezes, num rompante de sentimento de proteção e amor culpado, ela vinha por trás dele, enquanto ele estava sentado, entrelaçava os braços em volta do seu pescoço, beijava-o no alto da cabeça e o acariciava com o nariz, apreciando-lhe o cheiro asseado. Fazia tudo isso e depois se martirizava por ter feito.

E a irmã mais moça lhe dava nos nervos com o novo sotaque *cockney* e seu culto da estupidez ao piano. Como é que podiam fazer como o pai exigia e tocar para ele uma marcha de Souza, se Ruth alegava ser incapaz de contar quatro batidas no compasso?

Como sempre, Florence era perita em esconder seus sentimentos da família. E isso não lhe demandava nenhum esforço — ela simplesmente saía da sala sempre que era possível fazê-lo com discrição e depois agradecia por não ter dito nada agressivo ou que pudesse magoar os pais ou a irmã, do contrário passaria a noite acordada, por causa da culpa. Constantemente, lembrava-se de como amava sua família, e aquilo só servia para enredá-la ainda mais no silêncio. Sabia muito bem que as pessoas costumavam brigar, até mesmo tempestuosamente, e depois faziam as pazes. Mas não sabia como começar, simplesmente não tinha jeito para isso, para a altercação capaz de aliviar as tensões, e nunca acreditou realmente que palavras duras pudessem ser desditas ou esquecidas. O melhor era manter as coisas simples. Então, só lhe restava martirizar-se, quando se sentia como um personagem das tiras de quadrinhos no jornal, soltando fumaça pelos ouvidos.

E tinha outras preocupações. Será que devia procurar um trabalho burocrático numa orquestra de província — teria se achado extremamente sortuda se entrasse na Sinfônica de Bournemouth —, ou será que devia continuar dependendo dos pais por mais um ano, do pai, para ser mais precisa, e avançar com o trabalho do quarteto de cordas até o primeiro contrato? Isso significaria ter de morar em Londres, e ela relutava em pedir mais dinheiro a Geoffrey. O violoncelista, Charles Rodway, oferecera-lhe o quarto de hóspedes da casa dos pais, mas era um sujeito mal-humorado e intenso, que a fitava com olhares sugestivos por sobre o atril. Se morasse com ele, ficaria à sua mercê. Sabia de um trabalho em tempo integral, que seria dela de mão beijada, com um trio que tocava no estilo Palm Court num hotel andrajoso do sul de Londres. Não tinha nenhum escrúpulo com o tipo de música que teria de tocar — ninguém estaria escutando —, mas um certo instinto, ou talvez o esnobismo, convenceu-a de que não podia viver em Croydon ou nas redondezas. Tratou de se persuadir de que suas notas na faculdade a ajudariam a tomar uma decisão, e assim, tal como Edward a vinte e quatro quilômetros dali, nas colinas cobertas de bosques a leste, passava os dias numa disposição de sala de espera, impaciente pelo início de sua vida.

De volta da faculdade, transformada, de um modo que ninguém em casa parecia notar, de menina de escola em mulher madura, Florence começava a se dar conta de que os pais tinham opiniões políticas bastante condenáveis e pelo menos nesse tópico se permitia alguma discordância declarada à mesa de jantar, em discussões que se arrastavam pelas longas noites de verão. Essas conversas serviam de desafogo, mas também acirravam a sua impaciência geral. Violet estava sinceramente interessada na associação da filha à Campanha pelo Desarmamento Nuclear, embora fosse exasperante para Florence ter uma filósofa como mãe. Irritava-se com a calma da mãe, ou melhor, com os ares de tristeza que assumia enquanto esperava a filha terminar de falar, para em seguida emitir a própria opinião. Dizia que a União

Soviética era uma tirania cínica, um Estado cruel e impiedoso, culpado de genocídio numa escala que excedia até a da Alemanha nazista e responsável por uma vasta, e pouco conhecida, rede de campos de prisioneiros. Discorria sobre tribunais de fachada, censura, ausência de código de lei. A União Soviética havia pisoteado a dignidade humana e os direitos básicos, e era uma força de ocupação asfixiante em terras vizinhas — Violet tinha amigos húngaros e tchecos entre seus colegas de academia —, uma força expansionista por princípio, que devia ser combatida assim como fora Hitler. Se não pudesse ser combatida, porque não tínhamos tanques e homens para defender a planície do norte da Alemanha, precisava ser detida. Dois meses depois, ela sinalizaria a construção do Muro de Berlim como prova do que dizia — o império comunista era agora uma prisão gigantesca.

Florence acreditava do fundo do coração que a União Soviética, a despeito de todos os erros — inépcia, ineficiência, um Estado defensivo, por certo, mais do que um projeto maligno —, era essencialmente uma força benéfica no mundo. Era e sempre fora pela libertação dos oprimidos, contra o fascismo e a devastação promovida pelo capitalismo ganancioso. A comparação com a Alemanha nazista a revoltava. Reconhecia nas opiniões de Violet uma amostra típica da propaganda pró-americana. Estava decepcionada com a mãe, e chegou a dizê-lo.

E o pai tinha apenas o tipo de opinião que você pode esperar de um homem de negócios. Sua escolha das palavras podia ficar um pouco mais acurada com meia garrafa de vinho: Harold Macmillan era um doido por entregar o Império sem nenhuma resistência; um doido varrido por não impor um teto salarial aos sindicatos; e um patético doido varrido por pensar em estender o chapéu aos europeus, mendigando para ser aceito naquele clube sinistro. Florence achava difícil contradizer Geoffrey. Nunca conseguia se desvencilhar de um senso incômodo de obrigação em relação a ele. Entre os privilégios de sua infância, estava a atenção entusiasmada que podia ter sido dirigida a um irmão, um filho homem. No verão anterior, o pai saíra com ela regularmente em seu Humber, depois do trabalho, para que ela pudesse tentar obter a carteira de habilitação logo após o aniversário de vinte e um anos. Ela não passou no exame. Aulas de violino desde os cinco anos, com cursos de verão numa escola especial, aulas de esqui e de tênis, e aulas de aviação, que ela recusou desafiadoramente. E então as viagens: só os dois, em caminhadas pelos Alpes, na Sierra Nevada e nos Pireneus, e os regalos especiais, as viagens de negócios por uma única noite nas cidades européias, onde ela e Geoffrey ficavam sempre nos mais formidáveis hotéis.

Quando Florence saiu de casa depois do meio-dia, após uma discussão surda com a mãe a propósito de um detalhe doméstico insignificante — Violet discordava da maneira como a filha usava a máquina de lavar —, disse que ia pôr uma carta no correio e não voltaria para o almoço. Ela virou em direção ao sul na Banbury Road e seguiu para o centro da cidade com a vaga pretensão de perambular pelo mercado coberto e talvez esbarrar num velho colega de escola. Também podia comprar um pãozinho e comê-lo no gramado da Christ Church, à sombra, perto do rio. Quando viu o cartaz em St. Giles, o mesmo que Edward veria quinze minutos mais tarde, deixou-se levar distraidamente para o interior do prédio. Era a mãe que ocupava seus pensamentos. Depois de conviver tanto tempo com as amigas afetuosas no albergue de estudantes, notou, ao voltar para casa, a distância física que a mãe mantinha. Jamais beijara ou abraçara Florence, nem mesmo quando ela era pequena. Violet praticamente nunca a havia tocado. Talvez fosse melhor assim. Ela era magra e ossuda, e Florence não estava exatamente mendigando suas carícias. Além de ser demasiado tarde para começar agora.

Minutos depois de sair da luz do sol para o interior do prédio, tornou-se claro para Florence que cometera um erro ao entrar. Conforme seus olhos se acostumavam, perscrutou ao redor com o mesmo interesse indiferente que teria dirigido a uma coleção de prataria do Ashmolean. De repente, um rapaz de North Oxford cujo nome ela esquecera, um rapaz macilento, de vinte e um anos, de óculos, surgiu da escuridão e a encurralou. Sem nenhum preâmbulo, começou a enumerar as conseqüências de uma única bomba de hidrogênio caindo sobre Oxford. Quase uma década antes, quando ambos tinham treze anos, ele a convidara para ir a sua casa em Park Town, a apenas três ruas, para admirar uma nova invenção, um televisor, o primeiro que ela jamais vira. Numa tela pequena, cinzenta e nebulosa, emoldurada por portas de mogno entalhadas, um homem de smoking estava sentado diante de uma mesa, debaixo do que mais lembrava uma nevasca. Florence achou que a geringonça não tinha futuro, mas, desde então, esse rapaz — John? David? Michael? — parecia acreditar que ela lhe devia amizade, e ali estava ele de novo, cobrando sua dívida.

Seu panfleto, cujas duzentas cópias ele trazia debaixo do braço, decretava o destino de Oxford. Queria que ela o ajudasse a distribuí-lo pela cidade. Quando ele se inclinou, ela sentiu o rosto ser envolvido pelo cheiro da pomada de cabelo dele. Sua pele papirácea tinha um brilho amarelado sob a luz baixa, seus olhos estavam reduzidos por lentes grossas a dois rasgos estreitos e escuros. Florence, incapaz de grosserias, manteve a expressão numa careta atenciosa. Havia alguma coisa fascinante com relação a homens magros e altos, na maneira como os ossos e o pomo-de-adão se moviam rápida e indissimuladamente sob a pele, nos seus rostos de pássaro, na sua curvatura predatória. A cratera que ele descrevia teria quase um quilômetro de diâmetro, trinta metros de profundidade. Por causa da radioatividade, Oxford ficaria inabitável por dez mil anos. Começava a soar como uma promessa de libertação. Mas, na verdade, do lado de fora, a gloriosa cidade estava explodindo com a vegetação do início do verão, o sol esquentava a pedra cor de melaço de Cotswold, o prado da Christ Church chegava ao seu máximo esplendor. Ali, dentro do prédio, ela podia entrever sobre o ombro estreito do rapaz figuras murmurantes se movimentando na penumbra, puxando cadeiras, e foi quando viu Edward, que vinha na sua direção.

Muitas semanas depois, em outro dia de calor, pegaram um bote no Cherwell, seguiram rio acima até Vicky Arms e depois se deixaram levar pela correnteza de volta para a casa de barcos. No caminho, instalaram-se entre uma moita de pilriteiros e se estenderam na margem à sombra, Edward deitado de costas, mascando uma haste de capim, Florence com a cabeça recostada no braço dele. Numa pausa da conversa, escutaram as ondulações tamborilando sob o casco e a pancada abafada do bote oscilando contra o toco de árvore em que estava amarrado. De vez em quando, uma brisa leve trazia até eles o som etéreo e reconfortante do tráfego na Banbury Road. Um tordo chilreava um canto complicado, repetindo cada frase com esmero, até desistir de repente. Edward tinha vários empregos temporários, a começar pelo de responsável de campo num clube de críquete. Ela dedicava todo o seu tempo ao quarteto. Nem sempre era fácil organizar as horas que passavam juntos, e por isso elas eram tanto mais preciosas. Essa era uma rara tarde de sábado. Sabiam que era um dos últimos dias do alto verão exuberante — já era início de setembro, e as folhas e a grama, embora ainda inequivocamente verdes, tinham um ar exaurido. A conversa voltou aos instantes, a essa altura já enriquecidos por uma mitologia particular, em que se viram pela primeira vez.

Respondendo à pergunta que Edward fizera muitos minutos antes, Florence disse afinal: "Porque você não estava de paletó".

"E que mais?"

"Hum. A camisa branca desabotoada e quase saindo para fora da calça, com as mangas enroladas até os cotovelos..."

"Tolice."

"E as calças de flanela cinza com um remendo no joelho, e os tênis gastos, começando a ficar rotos na altura do dedão. E o cabelo comprido, quase cobrindo a orelha."

"Que mais?"

"Porque você parecia meio rebelde, como se tivesse participado de uma briga."

"Eu estava andando de bicicleta naquela manhã."

Ela se levantou com o apoio de um cotovelo para ter melhor visão do rosto dele, e os dois ficaram se olhando. Ainda era uma experiência nova e vertiginosa para os dois fitar por um minuto seguido os olhos de outro adulto, sem constrangimento ou repressão. Era o mais perto que chegavam, ele pensava, de fazer amor. Ela puxou o capim da boca dele.

"Você é tão caipira."

"Então, que mais?"

"Está bem. Porque você parou na soleira da porta e olhou em volta para todo mundo como se fosse o dono do lugar. Orgulhoso. Não, melhor, atrevido."

Ele riu disso. "Mas eu estava aborrecido comigo mesmo."

"E aí você me viu", Florence disse. "E decidiu me encarar."

"Não é verdade. Você me notou e achou que eu merecia uma segunda espiada."

Ela o beijou, não a fundo, mas provocante, ou pelo menos assim ele pensou. Nesses primeiros dias, ele achava que havia só uma pequena chance de ela ser uma daquelas garotas fictícias de boa família que topariam fazer tudo com ele, e logo. Mas certamente não ao ar livre, às margens desse trecho bastante freqüentado do rio.

Ele a puxou para si, até seu nariz quase tocar o dela e seus rostos ficarem na sombra. Disse: "Então você achou na hora que era amor à primeira vista?".

O tom dele era alegre e gozador, mas ela decidiu levá-lo a sério. As angústias que teria de enfrentar ainda estavam distantes, embora por vezes ela se perguntasse para onde é que estava indo. Um mês antes, tinham declarado um ao outro que estavam apaixonados, e isso foi causa tanto de excitação como, depois, para ela, de metade de uma noite em claro, sob o efeito de uma apreensão indefinida, sentindo-se impulsiva por ter aberto mão de algo importante, que não lhe cabia ceder. Mas era interessante demais, e novo, e lisonjeiro, demasiado reconfortante para resistir, era uma libertação estar apaixonada e dizê-lo, e ela só podia deixar-se levar cada vez mais fundo. Agora, à margem do rio, sob o calor soporífero de um dos últimos dias de verão, concentrava-se naquele momento em que ele havia parado na entrada da sala de reuniões e no que ela vira e sentira ao olhar na sua direção.

Para auxiliar a memória, afastou-se um pouco, endireitou-se e desviou o olhar do rosto dele para o rio vagaroso, verde e lamacento. De repente, o rio já não estava tranqüilo. Pouco acima, uma cena familiar vinha à deriva na direção deles, um duelo entre os aríetes de dois botes sobrecarregados, que obstruíam a passagem um do outro num ângulo de noventa graus, ao fazer a curva numa virada do rio, com as risadas de praxe, os gritos de pirataria e as pancadas na água. Eram estudantes universitários constrangidamente histéricos, uma lembrança do quanto ela desejava ficar longe desse lugar. Mesmo quando ainda estavam na escola, ela e as colegas sempre viram os estudantes como um incômodo, como invasores pueris de sua cidade natal.

Ela tentou concentrar-se ainda mais. As roupas dele naquele dia eram pouco comuns, mas o que ela notara realmente tinha sido o rosto — pensativo, oval e delicado, a testa grande, as sobrancelhas pretas num arco amplo e a tranqüilidade do olhar, que deambulou pela reunião até se fixar nela, como se ele simplesmente não estivesse na sala, mas a imaginá-la, sonhando com ela. A memória não a ajudou ao inserir o que ainda não podia ter ouvido àquela altura — o leve sotaque rural e fanho na voz dele, parecido com o de Oxford, mas com um traço do West Country.

Ela se virou para ele. "Fiquei curiosa em relação a você."

Mas era ainda mais abstrato que isso. Naquele momento, nem lhe ocorrera satisfazer sua curiosidade. Não achava que estivessem para se conhecer, nem que pudesse fazer alguma coisa para tornar isso possível. Era como se sua própria curiosidade nada tivesse a ver com ela — na verdade, era ela que estava ausente da sala. Apaixonar-se terminara por lhe revelar quão estranha ela era, e o tanto que se mantinha confinada nos seus pensamentos cotidianos. Toda vez que Edward perguntava: "Como você está?", ou: "No que está pensando?", ela sempre se saía com uma resposta canhestra. Será que precisara de todo esse tempo para se dar conta de que lhe faltava um parafuso que todo mundo tinha, um mecanismo tão comum que ninguém nunca o mencionava, uma conexão sensual e imediata com as pessoas e os acontecimentos, e com suas próprias necessidades e desejos? Vivera todos esses anos isolada consigo mesma e, curiosamente, isolada de si mesma, nunca querendo ou ousando olhar para trás. Sob o eco da sala de chão de pedra e vigas baixas e pesadas, seus problemas com Edward já estavam presentes desde os primeiros segundos, na primeira troca de olhares entre os dois.

Ele nasceu em julho de 1940, na semana em que teve início a Batalha da Grã-Bretanha. Mais tarde, seu pai, Lionel, diria a ele que por dois meses naquele verão a história prendeu o fôlego enquanto decidia se o alemão seria ou não a língua materna de Edward. No seu décimo aniversário, ele descobriu que isso era apenas um modo de dizer — em toda a França ocupada, por exemplo, as crianças continuaram a falar francês. Turville Heath era menos que um povoado, e mais uma dispersão de chácaras espalhadas entre bosques e áreas públicas, numa serra extensa acima do vilarejo de Turville. No final dos anos 30, a extremidade nordeste das colinas de Chilterns, para o lado de Londres, a quarenta e oito quilômetros, tinha sido invadida pela urbanização esparramada, e já era um paraíso suburbano. Mas na ponta sudoeste, ao sul da colina de Beacon, onde um dia uma torrente de carros e caminhões surgiria em forma de autoestrada, cortando a pedra calcária na direção de Birmingham, a terra se mantinha mais ou menos intocada.

Bem perto da casa dos Mayhew, descendo uma pista sulcada entre bordas íngremes através de um bosque de faias, depois da fazenda Spinney, ficava o vale de Wormsley, um belo remanso, como escrevera um autor de passagem, que pertencia a uma família de fazendeiros, os Fane, fazia séculos. Em 1940, a casa ainda usava água da fonte, que era puxada até o sótão e despejada num reservatório. Fazia parte da história familiar que, enquanto o país se preparava para enfrentar a invasão de Hitler, o nascimento de Edward foi considerado uma emergência pelas autoridades locais, uma crise de saúde pública. Vieram homens, mais precisamente velhos, com picaretas e pás, e a água corrente foi canalizada até o sítio a partir da Northbend Road em setembro daquele ano, bem quando começava a Blitz de Londres.

Lionel Mayhew era diretor de uma escola primária em Henley. De manhã cedo, percorria oito quilômetros, de bicicleta, até o trabalho, e no fim do dia voltava empurrando a bicicleta pelo trajeto longo e íngreme colina acima até em casa, trazendo trabalho e papéis empilhados numa cesta de vime na frente do guidom. Em 1945, o ano em que as gêmeas nasceram, comprou um carro de segunda mão por onze libras, em Christmas Common, da viúva de um oficial da marinha desaparecido nos comboios do Atlântico. Ainda era uma cena rara naquelas pistas calcárias e estreitas um automóvel se espremendo entre cavalos a puxar arados e carroças. Mas houve muitos dias em que o racionamento de petróleo obrigou Lionel a recorrer de novo à bicicleta.

No início dos anos 50, sua rotina de volta ao lar não tinha nada do típico profissional. Ele levava seus papéis diretamente para a saleta perto da porta de entrada que usava como escritório e os organizava com zelo. Esse era o único aposento arrumado da casa, e era importante para ele proteger sua vida profissional do ambiente doméstico. Depois, ia ver as crianças — em tempo, Edward, Anne e Harriet freqüentavam todos a escola local de Northend e voltavam a pé, sozinhos, para casa. Lionel passava alguns minutos a sós com Marjorie e então ia para a cozinha, preparar o chá e limpar os restos do café-da-manhã.

Era só nessa hora, enquanto o jantar estava no fogo, que conseguia fazer o serviço doméstico. Assim que chegaram a uma certa idade, as crianças passaram a dar uma força, mas sem maior eficácia. Apenas as partes expostas do assoalho que não estavam cobertas de trastes eram varridas, e somente os itens necessários para o dia seguinte — na maioria, roupas e livros — eram arrumados. As camas nunca eram feitas, os lençóis raramente trocados, a pia no banheiro apertado e gélido nunca era limpa — era possível gravar o nome com a unha no resíduo duro e cinzento. Era bem difícil acompanhar o passo das necessidades imediatas — o carvão a ser trazido para o fogão, a lenha para manter a lareira da sala acesa durante o inverno e os uniformes de escola relativamente limpos que precisavam providenciar para as crianças. Lavavam e passavam roupa nas tardes de domingo, e para isso tinham de acender a caldeira. Nos dias de chuva, um varal de roupas se estendia sobre a mobília por toda a casa. Passar roupa a ferro era demais para Lionel — tudo era esticado à mão e em seguida dobrado. Havia interlúdios em que uma das vizinhas vinha dar uma mão, mas nunca por muito tempo. A amplitude das tarefas era demasiado grande, e essas senhoras da região tinham suas próprias famílias para cuidar.

Os Mayhew jantavam a uma mesa de abrir, de pinho, cercada pelo caos imediato da cozinha. Lavar ficava sempre para depois. Quando todos já tinham agradecido a Marjorie pela comida, ela se desviava para um de seus projetos, enquanto as crianças tiravam os pratos e em seguida traziam seus livros para fazer o dever de casa à mesa. Lionel ia para o escritório corrigir cadernos de exercícios, resolver assuntos de administração e escutar as notícias no rádio, enquanto fumava cachimbo. Cerca de meia hora depois, vinha examinar os deveres de casa dos filhos e prepará-los para dormir. Sempre lia para eles, histórias diferentes para Edward e para as meninas. E eles costumavam adormecer ao som do pai lavando louça no andar de baixo.

Ele era um homem tranqüilo, atarracado à maneira de um trabalhador rural, com olhos azul-claros, cabelos ruivos e um pequeno bigode militar. Já não tinha idade para ser convocado — estava com trinta e oito anos quando Edward nasceu. Lionel raramente levantava a voz, dava palmadas ou batia com o cinto nos filhos, como a maioria dos pais na época. Esperava que lhe obedecessem, e as crianças, talvez por sentir o peso das responsabilidades dele, obedeciam. Aceitavam naturalmente aquela situação, embora visitassem com bastante freqüência a casa de amigos — com mães bondosas, de avental, em seus territórios obstinadamente ordenados. Nunca ocorrera a Edward, Anne e Harriet que fossem menos afortunados do que qualquer um dos seus amigos. Era Lionel quem arcava com o peso sozinho.

Foi preciso chegar aos catorze anos para Edward entender por completo que havia uma coisa errada com a mãe — não conseguia se lembrar do momento, por volta de seu aniversário de cinco anos, quando ela mudara abruptamente de comportamento. Assim como suas irmãs, ele cresceu diante do fato imperceptível da insanidade dela. Ela era uma figura fantasmática, uma fada boa e triste, com o cabelo castanho desgrenhado, que vagava pela casa como pela infância deles, por vezes comunicativa e até afetuosa, por outras distante, absorvida em seus hobbies e projetos. Podiam ouvi-la a qualquer hora do dia, e mesmo da noite, tateando sempre as mesmas músicas no piano, sempre errando as mesmas notas. Costumava ficar zanzando no jardim em torno do canteiro informe que fizera bem no centro do gramado estreito. Pintar, especialmente aquarelas — cenas de colinas distantes e cúspides de igrejas, cercadas de árvores em primeiro plano —, contribuía muito para a desordem geral. Ela nunca lavava os pincéis nem esvaziava a água esverdeada dos potes de geléia nem jogava fora as tintas e os trapos nem recolhia seus vários esboços, nenhum deles jamais terminado. Podia usar o guarda-pó de pintura dias a fio, e continuar com ele muito depois de a peleja com a tela já ter cessado. Outra atividade — que pode ter sido sugerida em certa ocasião como forma de terapia ocupacional — consistia em recortar figuras de revistas e colá-las em álbuns. Ela gostava de andar pela casa enquanto trabalhava, e clipes de metal acabavam pisoteados por toda parte, na sujeira do chão de tábuas corridas. Pincéis com massa endurecida descansavam em potes abertos e no parapeito das janelas.

Entre os outros interesses de Marjorie estavam observar os

pássaros da janela da sala, costurar e bordar, e fazer arranjos florais, todos perseguidos com a mesma intensidade sonhadora e caótica. Em geral, ficava calada, mas às vezes eles podiam ouvi-la, murmurando para si mesma, enquanto se esforçava numa tarefa difícil: "Assim... assim... assim".

Edward nunca se perguntou se ela era feliz. Certamente, devia ter seus momentos de angústia, ataques de pânico, quando sua respiração ficava espasmódica, os braços finos balançavam para cima e para baixo ao lado do corpo e toda a sua atenção se concentrava de repente nos filhos, numa necessidade específica que ela achava ter de atender de imediato. As unhas de Edward estavam muito grandes; o rasgo num vestido tinha de ser remendado; as gêmeas precisavam de um banho. Ela se debruçava sobre eles, fazendo um estardalhaço ineficaz, ralhando ou abraçando-os, beijando-lhes o rosto, ou tudo de uma vez só, recuperando o tempo perdido. Era quase como se fosse amor, e eles se entregavam a ela bem felizes. Mas sabiam por experiência própria que as realidades do lar eram proibitivas — as tesouras de unhas e a linha de costura não seriam encontradas, e eram necessárias horas de preparação para esquentar a água do banho. Logo a mãe se deixava levar de volta para o seu próprio mundo.

Esses rompantes podiam ser causados por algum fragmento da sua personalidade prévia tentando retomar o controle, reconhecendo em parte a natureza da sua própria condição, lembrando vagamente da existência passada e de repente, de um modo aterrorizante, vislumbrando a dimensão da sua perda. Mas, na maior parte do tempo, Marjorie mantinha-se satisfeita com a idéia, na verdade um elaborado conto de fadas, de que fosse uma esposa e mãe dedicada, que a casa funcionava perfeitamente graças a todo o trabalho dela e que merecia um pouco de tempo para si depois de ter cumprido todos os afazeres. Para reduzir os maus momentos ao mínimo e não despertar aquele fragmento da sua consciência prévia, Lionel e as crianças conspiravam para o faz-de-conta. No início das refeições, ela podia levantar o rosto, depois de contemplar os esforços do marido, e dizer suavemente enquanto tirava o cabelo desgrenhado da cara: "Espero que gostem disso. É uma coisa nova que eu queria experimentar".

Era sempre uma coisa velha, já que o repertório de Lionel era reduzido, mas ninguém a contradizia e, ritualisticamente, no final de cada refeição, as crianças e o pai lhe agradeciam. Era uma forma de faz-de-conta reconfortante para todos. Quando Marjorie anunciava que estava fazendo a lista de compras para o mercado de Watlington, ou que tinha mais lençóis para passar a ferro do que era possível contar, um mundo paralelo, de uma normalidade resplandecente, parecia estar ao alcance de toda a família. Mas a fantasia só podia durar enquanto não fosse falada. Eles cresceram no interior dela, e só puderam viver com neutralidade os absurdos dessa fantasia porque nunca os nomearam.

De alguma forma, eles a protegiam dos amigos que traziam para casa, assim como os protegiam dela. A versão aceita localmente — pelo menos, a que sempre ouviram — dizia que a sra. Mayhew era artística, excêntrica e encantadora, provavelmente um gênio. As crianças não ficavam envergonhadas de ouvir a mãe lhes contar coisas que elas sabiam não poder ser verdadeiras. Ela não tinha um dia movimentado pela frente, na verdade não passara a tarde inteira fazendo geléia de amora. Não eram falsidades, mas expressões do que a mãe de fato era, e eles estavam determinados a protegê-la — em silêncio.

Foram portanto memoráveis os poucos minutos quando Edward, aos catorze anos, viu-se sozinho com o pai no jardim e ouviu pela primeira vez que a mãe era deficiente mental. O termo era um insulto, um convite blasfemo à traição. *Lesão cerebral.* Algo errado na cabeça dela. Se mais alguém tivesse dito aquilo sobre sua mãe, Edward se veria obrigado a partir para a briga e para as injúrias. Mas, ao ouvir num silêncio hostil essa calúnia, no fundo se sentiu aliviado. É claro que era verdade, e ele não podia combater os fatos. Na mesma hora, tratou de se convencer de que sempre soubera.

Ele e o pai estavam em pé debaixo do grande olmo num dia quente e úmido do fim de maio. Depois de dias de chuva, o ar estava denso com a exuberância do início do verão — o alarido dos pássaros e dos insetos, o cheiro da grama cortada em faixas verdes na frente da casa, o emaranhado invasivo e enternecedor do jardim, praticamente inseparável do limite da floresta além da cerca, o pólen trazendo para o pai e para o filho o primeiro travo da febre do feno daquela estação e, no gramado a seus pés, ladrilhos de luz do sol e de sombra tremulando numa brisa leve. Nessa paisagem, enquanto escutava o pai, Edward tentava imaginar um dia amargo de inverno, em dezembro de 1944, na plataforma movimentada da estação de Wycombe, e sua mãe embrulhada num sobretudo, carregando uma sacola com minguados presentes de Natal em tempo de guerra. Ela avançava para tomar o trem que vinha da estação de Marylebone e que a levaria até Princes Risborough, e daí para Watlington, onde Lionel a esperava. Em casa, a filha adolescente de uma vizinha tomava conta de Edward.

Há um tipo confiante de passageiro que gosta de abrir a porta do vagão logo antes da parada total na estação, de modo a poder saltar para a plataforma com o trem ainda em movimento. Talvez assim afirme a sua independência, deixando o vagão antes do término da viagem — e mostrando que não é apenas um saco passivo de carga. Talvez reforce uma lembrança da juventude ou simplesmente esteja com tanta pressa, que cada segundo conte. O trem freou, talvez um pouco mais abrupto que de hábito, e a porta escapou da mão desse viajante. A borda de metal pesado bateu na cabeça de Marjorie Mayhew com força suficiente para fraturar-lhe o crânio e deslocar num instante sua personalidade, inteligência e memória. Ela ficou em coma por pouco menos de uma semana. O viajante, descrito por testemunhas como um financista distinto, nos seus sessenta anos, com chapéu-coco, guarda-chuva enrolado e jornal, saiu correndo de cena — deixando a moça, grávida de gêmeas, estendida no chão entre uns poucos brinquedos espalhados — e desapareceu para sempre nas ruas de Wycombe, com toda a sua culpa intacta, ou pelo menos assim julgava Lionel.

Esse curioso momento no jardim — uma guinada na vida de Edward — deixou-lhe marcada na mente uma lembrança particular do pai. Segurava um cachimbo na mão e não o acendeu enquanto não terminou a história. Mantinha um gesto premeditado, com o indicador curvado em volta do bojo do cachimbo, e o tubo suspenso a mais ou menos trinta centímetros do canto da boca. Como era domingo, estava com a barba por fazer — Lionel não tinha crença religiosa, embora freqüentasse a missa na escola. Gostava de reservar para si essa única manhã na semana. Não se barbeando aos domingos, o que era excêntrico para um homem na sua posição, ele se excluía deliberadamente de qualquer forma de compromisso público. Vestia uma camisa branca amarrotada e sem colarinho, nem mesmo esticada à mão. Suas maneiras eram cuidadosas, um tanto distantes — era provável que tivesse ensaiado a conversa em pensamento. Conforme ele falava, seu olhar às vezes se movia do filho para a casa, como para evocar o estado de Marjorie com maior precisão ou para controlar as meninas. Ao concluir, pôs a mão no ombro de Edward, um gesto inusual, e o acompanhou pelos poucos e derradeiros metros até o fim do jardim, onde a cerca de estacas de madeira desaparecia sob o avanço do mato. Do outro lado, ficava um campo de cinco acres, desprovido de carneiros, tomado por ranúnculos em duas faixas largas e divergentes, como estradas.

Ficaram um ao lado do outro enquanto Lionel acendia por fim o cachimbo e Edward, com a adaptabilidade dos anos, continuava a fazer a transição muda do choque para o reconhecimento. É claro que sempre soubera. Fora mantido num estado de inocência pela falta de um nome para a doença da mãe. Nunca chegou a pensar que ela tivesse uma doença, e ao mesmo tempo aceitava que ela era diferente. A contradição agora estava resolvida pela simples denominação, pelo poder das palavras em tornar visível o invisível. *Lesão cerebral*. O termo dissolvia a intimidade, dando à mãe a medida fria de um parâmetro público que todo mundo podia entender. Uma distância começou a se impor de repente, não apenas entre Edward e a mãe, mas também entre ele e as circunstâncias imediatas, fazendo com que sentisse o seu próprio ser, o seu núcleo solapado, em que nunca prestara atenção antes, ganhar uma existência súbita e aguda, um pontinho incandescente do qual ele não queria que ninguém mais tomasse conhecimento. A mãe tinha uma lesão cerebral, e ele, não. Ele não era sua mãe, tampouco sua família, e um dia iria embora e só voltaria para visitá-los. Imaginou que já fosse um visitante ali mesmo, fazendo companhia ao pai depois de uma longa ausência no exterior, observando ao lado dele o campo na altura das faixas largas de ranúnculos que se separavam pouco antes de o terreno despencar num leve declive na direção da mata. Era uma sensação solitária que ele experimentava, e por isso se sentia culpado, mas a audácia daquela sensação também o excitava.

Lionel parecia entender o sentido do silêncio do filho. Disse a Edward que ele havia sido maravilhoso com a mãe, sempre gentil e solícito, e que aquela conversa não mudava nada. Era apenas o reconhecimento de que já estava bastante grande para saber dos fatos. Nessa hora, as gêmeas vieram correndo para o jardim, atrás do irmão, e Lionel só teve tempo de repetir: "O que acabei de dizer não muda nada, absolutamente nada", antes de as meninas os cercarem ruidosas e puxarem Edward na direção da casa, para obter sua opinião sobre uma coisa que tinham feito.

Mas muitas outras coisas estavam mudando para ele nessa época. Estudava no ginásio de Henley e começava a ouvir de vários professores que podia vir a ser "protótipo de universitário". Seu amigo Simon, em Northend, e todos os outros garotos do vilarejo com quem brincava foram para a escola secundária moderna e logo sairiam para aprender uma profissão, ou trabalhar numa fazenda, antes de serem mobilizados pelo serviço militar. Edward contava com outro futuro. Já havia um certo constrangimento no ar quando estava entre os amigos, tanto da parte deles como da sua. Com pilhas de deveres de casa acumulados — a despeito de toda a sua mansidão, Lionel era um tirano nesse assunto —, Edward já não perambulava pelos bosques com os garotos, levantando acampamento ou construindo armadilhas, provocando os guarda-caças das propriedades de Wormsley ou Stonor. Uma cidadezinha como Henley tinha pretensões urbanas, e ele estava aprendendo a esconder o fato de conhecer o nome de borboletas, pássaros e flores silvestres que cresciam na terra da família Fane, no vale recluso logo abaixo de sua casa: a campânula, a chicória, a saudade, as dez espécies de orquídeas e heleborinhas, e o raro emberizídeo-das-neves estival. Na escola, esse conhecimento o teria descartado na hora, como roceiro.

Saber do acidente da mãe naquele dia não mudou nada visivelmente, mas todos os deslocamentos e realinhamentos de sua vida pareceram se cristalizar em torno desse novo dado. Era atencioso e gentil com ela, seguia colaborando para manter a ficção de que ela cuidava da casa e de que tinha razão em tudo o que dizia, mas agora estava consciente de interpretar um papel, e isso fortificava o recém-descoberto, embora pequeno, núcleo da sua personalidade. Aos dezesseis anos, desenvolveu o gosto por longas caminhadas solitárias. Sair de casa o ajudava a clarear a mente. Costumava seguir pela Holland Lane, uma trilha aberta na pedra calcária, espremida entre encostas musguentas e desmoronadiças, que avançava morro abaixo na direção de Turville, para depois continuar pelo vale de Hambledon até o Tâmisa, atravessando Henley para dentro das colinas de Berkshire. O termo "*teenager*" fora inventado fazia pouco tempo, e nunca lhe ocorrera que a separação que ele sentia, ao mesmo tempo agradável e dolorosa, pudesse ser compartilhada por mais alguém.

Sem perguntar ou mesmo comunicar ao pai, num fim de semana ele foi de carona até Londres para participar de um protesto em Trafalgar Square contra a invasão do canal de Suez. E ali decidiu, num momento de exaltação, que não se inscreveria em Oxford, que era para onde Lionel e todos os professores queriam que ele fosse. A cidade era demasiado familiar, insuficientemente diversa de Henley. Era para cá que ele viria, aqui onde as pessoas pareciam mais generosas, vivas e imprevisíveis, e as ruas célebres desdenhavam com negligência da própria importância. Foi um plano que ele alimentou em segredo — não queria provocar a oposição já de saída. Também pretendia evitar o serviço militar, que Lionel decidira ser bom para ele. Esses projetos privados aguçaram ainda mais o sentimento de um eu secreto, uma sensibilidade coerente e firme, a aspiração aguda por uma personalidade própria. Ao contrário de alguns meninos da escola, não abominava a casa e a família. Não questionava os quartos apertados e sua esqualidez, e não sentia vergonha da mãe. Simplesmente, estava impaciente por começar a vida, sua história real, e, do jeito como as coisas estavam constituídas, isso não ocorreria enquanto ele não passasse nas provas. De modo que deu duro e entregou bons ensaios, especialmente para a cadeira de História. Era muito amável com as irmãs e com os pais, e continuava a sonhar com o dia em que deixaria o sítio em Turville Heath. Mas, em certo sentido, já o fizera.

3.

Quando Florence chegou ao quarto, largou a mão de Edward e, apoiando-se numa das quatro colunas de carvalho que sustentavam o dossel da cama, inclinou-se primeiro para a direita, depois para a esquerda, deixando cair com formosura um ombro por vez, de maneira a remover a muda de sapatos que havia comprado com a mãe numa tarde chuvosa e tensa na Debenhams — era incomum e desgastante para Violet entrar numa loja. Os sapatos eram de um couro mole, azul-claro, de salto baixo e com um lacinho de couro habilidosamente retorcido na frente, num azul mais escuro. A noiva não estava apressada em seus movimentos — era mais uma das táticas de adiamento que só faziam comprometê-la ainda mais. Estava consciente do olhar encantado do marido, mas por enquanto não se sentia muito abalada nem pressionada. Ao entrar no quarto, mergulhara num estado desconfortável, onírico, que a estorvava como um escafandro ultrapassado em águas profundas. Seus pensamentos não pareciam ser seus — eram soprados até ela, pensamentos em vez de oxigênio.

E nessa condição ela havia tomado consciência de uma frase musical simples e grandiosa, que se repetia na maneira obscura e inacessível da memória auditiva, a acompanhá-la até a cama, onde tocou novamente enquanto ela segurava um sapato em cada mão. A frase familiar — alguns podiam até considerá-la famosa — consistia em quatro notas ascendentes, que pareciam esboçar uma pergunta. Como o instrumento era um violoncelo, e não o seu violino, o interrogador não era ela, porém um observador distanciado, levemente incrédulo, mas insistente também, já que, após um breve silêncio, uma demora e a réplica inconvincente de outro instrumento, o violoncelo repetia a pergunta, em outros termos, em outros acordes, e outra vez, e mais outra, e a cada uma delas recebia uma resposta duvidosa. Não havia um conjunto de palavras que ela pudesse fazer corresponder a essas notas; não era como se alguma coisa estivesse sendo dita. A pergunta não tinha conteúdo, era pura como um sinal de interrogação.

Era a abertura de um quinteto de Mozart, causa de uma certa disputa entre Florence e seus amigos, porque tocá-la significava recrutar outra viola, e os demais preferiam evitar complicações. Mas Florence insistia, queria alguém para tocar essa peça, e, quando convidou uma amiga de corredor a juntar-se a eles no ensaio em que a leram pela primeira vez até o final, o violoncelista, naturalmente, na sua vaidade, deixou-se seduzir e logo os outros também cederam ao seu feitiço. Quem não cederia? A abertura podia desafiar com uma questão difícil a coesão do Quarteto Ennismore — assim batizado em homenagem ao endereço do albergue das garotas —, mas o problema já estava resolvido a priori pela determinação de Florence diante da oposição, uma contra três, e por sua obstinação no que dizia respeito ao seu próprio bom gosto.

Ao atravessar o quarto, ainda de costas para Edward, ainda

brincando com o tempo, para dispor os sapatos cuidadosamente no chão ao lado do armário, as mesmas quatro notas fizeram-na lembrar desse outro aspecto da sua natureza. A Florence que comandava o quarteto, que impunha a sua vontade com frieza, nunca se submeteria docilmente às expectativas convencionais. Não era nenhuma ovelha para ser esfaqueada em silêncio. Ou penetrada. Perguntava a si mesma exatamente o que queria e o que não queria do casamento, estava preparada para dizê-lo alto e bom som a Edward, e esperava chegar a uma forma de acordo com ele. O que cada um desejava não podia ser, por certo, às custas do outro. O objetivo era amar e deixar o outro livre. Sim, ela precisava se manifestar, como fazia nos ensaios, e seria agora. Já tinha até o início de uma proposta na ponta da língua. Abriu a boca e tomou fôlego. E foi quando, ao som de uma tábua do chão, ela se virou e o viu, sorrindo, vindo na direção dela, com seu belo rosto um pouco rosado, e a idéia libertadora — como se nunca tivesse sido sua — se dissipou.

Sua muda de roupa era um vestidinho estival de algodão azul-piscina, a combinação perfeita para os sapatos, que ela só foi encontrar depois de horas batendo perna entre Regent Street e Marble Arch, por sorte sem a mãe. Quando Edward a puxou para os braços dele, não foi para beijá-la, mas primeiro para apertá-la contra o corpo, e em seguida pôr a mão na sua nuca, procurando o fecho do vestido. A outra mão estava espalmada e firme sobre o delgado das costas dela, enquanto ele sussurrava alguma coisa no seu ouvido, tão forte e tão perto, que ela só ouvia um rugido de ar quente e úmido. Mas não dava para abrir o zíper com uma única mão, pelo menos não ao longo dos primeiros dois ou três centímetros. Era preciso segurar o vestido reto no alto com uma das mãos, enquanto se puxava o fecho com a outra, do contrário o tecido fino se dobrava e o zíper emperrava. Ela teria esticado e dobrado os braços por sobre os ombros para ajudá-lo, mas estava presa, e, além do mais, não parecia correto mostrar-lhe o que fazer. Acima de tudo, não queria ferir os sentimentos dele. Com um suspiro profundo, Edward puxou o zíper com mais vigor, tentando forçá-lo, mas havia chegado a um ponto em que o fecho já não se movia nem para cima nem para baixo. Por enquanto, ela estava presa dentro do vestido.

"Pelo amor de Deus, Flo. Dá para ficar quieta um instante?"

Obediente, ela se imobilizou, horrorizada com a agitação na voz dele, automaticamente certa de que a culpa era sua. Afinal, o vestido era seu, e o zíper também. Teria sido de alguma ajuda, ela pensou, libertar-se dos braços dele e lhe dar as costas, aproximando-se da janela para obter mais luz. Mas podia parecer pouco afetuoso, e a interrupção revelaria a dimensão do problema. Em casa, ela contava com a irmã, muito hábil com os dedos, apesar de sua interpretação abismal no piano. A mãe não tinha paciência para coisas pequenas. Pobre Edward — ela sentiu nos ombros os tremores do esforço nos braços dele quando passou a empregar as duas mãos, e imaginou seus dedos grossos tateando entre as pregas do tecido enganchado e o metal obstinado. Sentia pena dele, e também um certo temor. A mais tímida das sugestões poderia enfurecê-lo ainda mais. Por isso, ela agüentou pacientemente até que ele afinal se desgarrasse dela com um gemido e se afastasse.

Na verdade, estava contrito. "Desculpe. Que droga! Eu sou tão atrapalhado!"

"Querido, acontece comigo o tempo todo."

Os dois sentaram juntos na cama. Ele sorriu, dando a entender que não acreditava nela mas agradecia o comentário. Ali, no quarto, as janelas estavam escancaradas para a mesma vista do gramado do hotel, do bosque e do mar. Uma repentina mudança no vento ou na maré, ou talvez o rasto de um navio de passagem, trouxe o barulho de várias ondas, quebrando numa seqüência de batidas vigorosas na praia. E então, com a mesma rapidez, as ondas voltaram a lamber os seixos como antes, rumorejando suavemente ao longo da restinga.

Ela pôs o braço em torno dos ombros dele. "Quer saber um segredo?"

"Sim."

Ela pegou o lobo da orelha dele entre o indicador e o polegar, puxou gentilmente sua cabeça na direção dela e sussurrou: "Na verdade, estou com um pouco de medo".

Não era essa exatamente a verdade, mas, previdente como ela era, nunca teria podido descrever a sucessão de seus sentimentos: uma sensação física e seca de aperto e encolhimento, uma repugnância generalizada pelo que talvez fosse solicitada a fazer, vergonha diante da perspectiva de decepcioná-lo e de se revelar uma fraude. Tinha aversão a si mesma e, ao sussurrar no ouvido dele, sentiu as palavras sibilarem em sua boca como as de um vilão no teatro. Mas era melhor falar do medo do que admitir a repulsa e a vergonha. Tinha de fazer todo o possível para baixar as expectativas dele.

Ele a olhava, e nada em sua expressão indicava que a tivesse ouvido. Mesmo naquele estado difícil, ela ainda se admirava com seus olhos castanhos e serenos. Com tanta inteligência e perdão. Talvez se os fitasse e nada visse além disso, ela fosse capaz de fazer simplesmente qualquer coisa que ele lhe pedisse. Teria confiado nele inteiramente. Mas isso era fantasia.

Por fim, ele disse: "Acho que também estou". Enquanto falava, pôs a mão logo acima do joelho dela e a escorregou sob a barra do vestido até o interior da coxa, onde a descansou com o polegar tocando a calcinha. As pernas dela estavam nuas e lisas, bronzeadas dos banhos de sol no jardim, das partidas de tênis com velhos amigos de escola nas quadras públicas de Summertown e de dois longos piqueniques com Edward nas encostas floridas acima do belo vilarejo de Ewelme, onde fora sepultada a neta de Chaucer. Continuavam a fitar os olhos um do outro — e nisso se consumavam. A consciência do toque dele, da pressão morna e pegajosa da mão dele em sua pele, era tanta que ela até podia imaginar, podia ver, precisamente o polegar longo e curvo na penumbra azulada sob o vestido, pacientemente estacionado, como uma máquina de guerra a sitiar uma cidade do lado de fora das muralhas, a unha bem aparada, roçando a seda creme e enrugada em pequenos drapejados ao longo do arremate de renda da calcinha, a tocar também — tinha certeza disso, podia sentir claramente — um pêlo crespo e rebelde.

Ela estava fazendo de tudo para não tensionar um dos músculos da perna que se contraía a despeito dela, sem o seu acordo; era tão inevitável e involuntário quanto um espirro. Não chegava a sentir dor, conforme o feixe traiçoeiro de músculos se travava num leve espasmo, mas era como se já não o controlasse, dando a primeira indicação da extensão do problema. Edward na certa havia sentido a pequena tormenta sob a mão, tanto que seus olhos se arregalaram, meticulosos, e a inclinação das sobrancelhas e a abertura silenciosa dos lábios sugeriam que ficara impressionado, para não dizer estupefato, ao confundir a agitação dela com sofreguidão.

"Flo...?" Disse seu nome com cautela, num tom sinuoso, como se tentasse acalmá-la, ou dissuadi-la de uma ação precipitada. Mas ele tinha de conter a sua própria pequena tormenta. Sua respiração estava ofegante e irregular, e ele não cessava de desgrudar a língua do palato com um som baixo e viscoso.

É constrangedor como às vezes o corpo não mente, ou não pode mentir, sobre as emoções. Quem, por conta de decoro, conseguiu alguma vez diminuir as batidas do coração ou deixar de corar? O músculo desgovernado saltava e vibrava na perna dela, como uma traça aprisionada sob a pele. Às vezes, as pálpebras dela apresentavam problemas semelhantes. Mas talvez o tumulto já estivesse cedendo — não dava para saber. Ajudava-a fixar-se no básico: a mão dele estava ali porque ele era seu marido; e ela o permitiu, porque era sua mulher. Algumas de suas amigas — Greta, Hermione, Lucy especialmente — já estariam nuas debaixo dos lençóis há horas, e teriam consumado esse casamento — alegre e espalhafatosamente — bem antes da cerimônia. Por amizade e generosidade, chegaram a pensar que fosse precisamente o que ela já tinha feito. Nunca mentira para elas, mas tampouco esclarecera coisa alguma. Pensando nas amigas, sentiu o sabor peculiar e não compartilhável da própria existência: estava só.

A mão de Edward não avançava — ele podia estar amedrontado pelo que despertara —, em vez disso, fazia movimentos discretos no mesmo lugar, massageando o interior da coxa. Talvez por esse motivo o espasmo estivesse cedendo, mas ela já não prestava atenção. Deve ter sido acidental, porque ele não podia saber que, ao apalpar a perna dela, a ponta do polegar encostaria no pêlo crespo e solitário, saindo da calcinha, e, ao movê-lo para a frente e para trás, despertaria na raiz, ao longo do nervo do folículo, não mais que a sombra de uma sensação, quase um começo abstrato, tão ínfimo quanto um ponto geométrico que tivesse se expandido numa mancha arredondada e continuasse a se dilatar. Ela duvidava disso, e tentava negá-lo, mesmo sentindo que afundava e se dobrava para dentro de si mesma, naquela direção. Como podia a raiz de um único pêlo tragar o corpo inteiro? Respondendo ao ritmo das carícias da mão dele, num compasso regular, aquele único ponto sensitivo se alastrou pela superfície da pele dela, pelo ventre, em pulsações descendentes até o períneo. A sensação não era de todo desconhecida — algo entre a dor e o prurido, só que mais suave, mais quente e de alguma forma mais oco; uma comichão vazia e agradável emanando de um único folículo ritmadamente transtornado, espalhando-se em ondas concêntricas através do seu corpo e agora indo cada vez mais fundo.

Pela primeira vez, seu amor por Edward foi associado a uma sensação física e definida, tão irrefutável quanto a vertigem. Antes, conhecera apenas um caldo reconfortante de sensações mornas, um cobertor grosso de inverno a cobri-la de gentilezas e de confiança. Aquilo sempre lhe parecera suficiente, uma realização em si mesma. Agora, aí estava por fim o início do desejo, preciso e estranho, mas claramente seu; e mais além, como que suspenso acima e atrás dela, quase fora de vista, o alívio de ser como todo mundo. Quando, aos catorze anos, continuava com corpo de menina, desesperada com o fato de todas as amigas já terem peito e ela ainda parecer uma giganta de nove anos, tivera uma revelação parecida, diante do espelho, na noite em que discerniu e examinou uma protuberância recente e firme em volta dos mamilos. Se sua mãe não estivesse preparando uma aula sobre Espinosa no andar de baixo, Florence teria berrado de felicidade. Era inegável: ela não era uma subespécie separada da raça humana. Estava triunfante, pertencia à generalidade.

Ela e Edward ainda estavam com os olhos pregados nos olhos um do outro. Falar parecia fora de questão. Ela fingia mais ou menos que nada estava acontecendo — que a mão dele não estava sob seu vestido, seu polegar não estava movendo para a frente e para trás um pêlo pubiano desgarrado e que ela não estava fazendo uma importante descoberta sensorial. Detrás da cabeça de Edward se estendia a vista parcial de um passado remoto — a porta aberta e a mesa de jantar diante da janela de batente, com os restos da refeição abandonada —, mas ela não deixou o olhar se desviar até lá. Apesar da sensação prazerosa e do alívio, continuava apreensiva, um muro alto, não muito fácil de demolir. Nem ela queria que fosse. A despeito da novidade, não se achava num estado de entrega arrebatada, nem pretendia se apressar nessa direção. Queria demorar-se nesse momento largo, sob a completa proteção das roupas, o olhar castanho e sereno, as carícias afetuosas e o frêmito em expansão. Mas sabia que isso era impossível e que, como todos diziam, uma coisa teria de levar a outra.

O rosto de Edward continuava extraordinariamente róseo, suas pupilas dilatadas, a boca entreaberta, a respiração como antes: ofegante, irregular e abrupta. A semana de preparação para o casamento, de uma restrição demencial, havia se abatido sobre a química jovem do seu corpo. Florence estava tão perfeita e vívida diante dele, e ele mal sabia o que fazer. Na luz do crepúsculo, o vestido azul que ele não conseguira tirar cintilava sombrio contra a colcha branca e esticada. Quando ele a tocou pela primeira vez no interior da coxa, a pele dela estava surpreendentemente fria, e por alguma razão aquilo o excitou com a grande intensidade. Ao olhar nos seus olhos, tinha a impressão de estar despencando na direção dela, num movimento constante e vertiginoso. Sentia-se encurralado entre a urgência da excitação e o peso da ignorância. Fora os filmes, as piadas chulas e as anedotas licenciosas, a maior parte do que sabia sobre as mulheres vinha da própria Florence. A perturbação sob sua mão talvez fosse um indício revelador, uma espécie de precursor do orgasmo feminino, que qualquer um teria podido lhe ensinar a reconhecer, para que ao menos soubesse como reagir. Também podia ser apenas efeito do nervosismo. Ele não sabia dizer, e se sentiu aliviado quando a contração começou a se dissipar. Lembrou-se da vez, num vasto milharal nos arredores de Ewelme, quando sentara diante dos controles de uma ceifadeira-debulhadora, depois de ter se gabado da sua competência ao fazendeiro, e não ousara tocar numa única alavanca. Simplesmente não sabia o bastante. Por um lado, foi ela quem o levou até o quarto de dormir, quem tirou os sapatos com tanta desenvoltura e o deixou descansar a mão ali tão perto. Por outro, ele sabia, graças a um longo conhecimento de causa, como era fácil pôr tudo a perder com um movimento impetuoso. Ao mesmo tempo, enquanto a mão dele permanecia a apalpar-lhe a coxa, Florence parecia fitá-lo com um olhar tão convidativo — seus traços mais altivos se atenuaram, ela apertava os olhos e em seguida os abria para reencontrar os dele, e agora a cabeça estava jogada para trás —, que as suas precauções só podiam ser absurdas. A hesitação era a sua própria loucura. Estavam casados, pelo amor de Deus, e ela o encorajava, incitava-o, doida para que ele assumisse o comando. Mas, ainda assim, ele não conseguia se livrar da lembrança de ter interpretado mal os sinais, e de forma especialmente espetacular uma vez no cinema, durante a sessão de *Um gosto de mel*, quando ela pulou da cadeira e saiu pelo corredor como uma gazela. O simples erro levou semanas para ser reparado — e ele não se arriscava a repetir o desastre; mantinha-se cético quanto à possibilidade de uma cerimônia de casamento de quarenta minutos ser capaz de provocar uma diferença tão profunda.

O ar do quarto parecia rarefeito, insubstancial; respirar demandava um esforço consciente. Ele conseguiu conter a tempo a irrupção de um bocejo nervoso, franzindo o cenho e alargando as narinas — não ajudaria em nada ela achar que ele estava enfadado. Afligia-o tremendamente que a noite de núpcias não fosse simples, já que o amor entre os dois era tão óbvio. Considerava seu estado de excitação, ignorância e indecisão igualmente perigoso, por não confiar em si mesmo. Era capaz de agir de modo estúpido, ou até explosivo. Era conhecido entre os amigos da universidade como um daqueles tipos tranqüilos, propensos a erupções violentas ocasionais. Segundo seu pai, sua primeira infância havia sido marcada por ataques de raiva espetaculares. Durante os anos de escola e até a universidade, de vez em quando ele era atraído pela liberdade selvagem de uma briga de socos. Das rixas de escola em torno das quais garotos, entoando cantos selvagens, formavam círculos de espectadores, a um encontro solene numa clareira nos arredores do vilarejo ou às brigas desavergonhadas do lado de fora dos pubs do centro de Londres, Edward encontrou na luta uma imprevisibilidade excitante, e descobriu uma personalidade espontânea e resoluta que o eludia no resto da sua tranqüila existência. Nunca buscou tais situações, mas, quando elas surgiam, certos aspectos — os insultos, os amigos a tentar contê-lo, a preparação, a afronta absoluta do adversário — eram irresistíveis. Era tomado por algo próximo de uma visão afunilada e da surdez, e de repente lá estava de novo, adentrando um prazer esquecido, como que emergindo dentro de um sonho recorrente. Como num porre de estudantes, a dor vinha depois. Ele não era nenhum pugilista, mas tinha a vantagem da imprudência física e estava em posição privilegiada para subir as apostas. Além disso, era forte.

Florence nunca vira essa loucura nele, nem ele pretendia conversar com ela sobre isso. Não se metia numa briga fazia oito meses, desde janeiro de 1961, no segundo trimestre do seu último ano. Havia sido um caso injusto, e incomum pelo fato de Edward ter alguma razão, um certo grau de justiça a seu favor. Estava caminhando pela Old Compton Street rumo ao French Pub na Dean Street com outro estudante do terceiro ano de história, Harold Mather. Era início de noite, e vinham direto da biblioteca na Malet Street para se encontrar com amigos. Na escola primária que Edward freqüentara, Mather teria sido a vítima perfeita — era baixo, mal passava de um metro e sessenta e cinco, usava óculos grossos sobre um rosto comicamente esborrachado, era de uma inteligência espantosa e falava pelos cotovelos. Na universidade, porém, ele se destacava, era uma figura respeitadíssima. Tinha uma importante coleção de discos de jazz, editava uma revista literária, teve um conto aceito pela *Encounter*, embora ainda não tivesse sido publicado, era hilariante nos debates acadêmicos do diretório e um bom imitador — fazia arremedos de Macmillan, Gaitskell, Kennedy, Khruchióv em falso russo, assim como de vários líderes africanos e comediantes como Al Read e Tony Hancock. Podia reproduzir todas as vozes e esquetes do espetáculo satírico *Beyond the fringe* e era tido, de longe, como o melhor aluno da turma de história. Edward considerava um progresso na sua própria vida, a evidência de uma nova maturidade, que agora prezasse a amizade de um homem que em outros tempos ele teria podido se dar o trabalho de evitar.

Naquela época, o Soho numa noite de inverno durante a semana ainda era um lugar pacato. Os pubs ficavam cheios, mas os clubes não existiam ainda, e as calçadas eram desertas. Foi fácil notar o casal vindo na direção deles pela Old Compton Street. Eram roqueiros — ele, um sujeito alto, de vinte e poucos anos, com costeletas compridas, jaqueta de couro com tachinhas, jeans bem justos e botas, e a namorada roliça, de braço dado com ele, com uma roupa idêntica. Quando se cruzaram, e sem interromper o ritmo das suas passadas, o homem volteou o braço para acertar por trás a cabeça de Mather com uma bofetada de mão cheia que o fez cambalear e seus óculos estilo Buddy Holly irem parar, derrapando, do outro lado da rua. Foi um ato de desprezo casual pela altura de Mather e por sua aparência estudiosa, ou pelo fato de ele parecer e ser judeu. O motivo talvez tivesse sido impressionar ou divertir a garota. Edward não parou para pensar. Ao sair a passos largos no encalço do casal, ouviu Harold gritar algo como um "não" ou "não faça isso", mas esse era justo o tipo de súplica para a qual ele ficava surdo nessas horas. Estava de volta àquele sonho. Teria achado difícil descrever seu estado: a raiva tinha se erguido e subia em espiral para uma espécie de êxtase. Com a mão direita, segurou o homem pelo ombro e o girou, e, com a esquerda, agarrou-o pelo pescoço e o esmagou contra um muro. A cabeça do homem bateu com toda a força contra um cano de ferro fundido. Ainda apertando sua garganta, Edward lhe deu um soco na cara, só um, mas bem forte. E, então, voltou para ajudar Mather a achar os óculos, que estavam com uma das lentes quebrada. Seguiram em frente, deixando o sujeito sentado na calçada, com as duas mãos sobre o rosto, enquanto a namorada, muito nervosa, debruçava-se sobre ele.

Levou algum tempo para Edward se dar conta, no meio da noite, da falta de gratidão de Mather, e do seu silêncio — ou pelo menos do silêncio em relação a ele, Edward —, e mais ainda, um dia ou dois, para entender que o amigo não apenas lhe reprovara o ato, mas, pior, ficara envergonhado por ele. No pub, nenhum dos dois mencionou o incidente aos amigos, e depois nunca mais Mather tocou no assunto com Edward. Uma reprimenda teria sido um alívio. Sem fazer nenhum alarido, Mather retraiu-se. Embora continuassem a se ver na companhia de terceiros, e ele jamais tenha manifestado sua distância em relação a Edward, a amizade nunca mais foi a mesma. Edward se atormentava ao pensar que, na verdade, Mather se afastara por causa de seu comportamento, mas não tinha coragem de puxar o assunto. Além do mais, Mather tomava as precauções para nunca estarem os dois a sós. No início, Edward achou que seu erro havia sido ferir o orgulho de Mather ao testemunhar a humilhação dele, e corroborá-la ao agir como seu defensor, demonstrando que era forte, enquanto o amigo era um poltrão vulnerável. Mais tarde, porém, Edward se deu conta de que o que fizera simplesmente não pegava bem, e sua vergonha foi ainda maior. Briga de rua não combinava com poesia e ironia, com bebop e história. Sentiu-se culpado pelo deslize de mau gosto. Não era a pessoa que imaginara. O que acreditara ser uma peculiaridade interessante, uma virtude bruta, revelou-se simples vulgaridade. Era um garoto do interior, um idiota provinciano que achava que um soco com as mãos nuas podia impressionar um amigo. Ficou mortificado ao cair em si. Estava dando um passo típico do começo da idade adulta: a descoberta de que existiam novos valores pelos quais preferia ser julgado. Desde então, ficou fora de brigas.

Mas agora, na noite de núpcias, não confiava em si mesmo. Não podia garantir que a visão afunilada e a surdez seletiva não o dominariam de novo, envolvendo-o como um nevoeiro de inverno em Turville Heath, obnubilando o seu mais recente e mais sofisticado eu. Estava sentado ao lado de Florence, com a mão sob o vestido dela, massageando-lhe a coxa fazia mais de um minuto e meio. Seu desejo torturado aumentava de um modo intolerável; estava assustado com a própria impaciência primitiva, e com as palavras ou ações furiosas que ela podia provocar, e temia que assim terminasse a noite. Ele a amava, mas queria sacudi-la daquela dormência, libertá-la com uma bofetada daquela postura empertigada de atril, de suas boas maneiras de North Oxford, e fazê-la ver como era simples: ali estava uma liberdade sensual e ilimitada, à disposição deles, e ainda com a bênção do vigário — *com meu corpo eu Te venero* —, uma liberdade indecente, alegre, com as pernas de fora, que se erguia em sua imaginação como uma catedral vasta e aérea, em ruínas talvez, sem o telhado, com a abóbada abrindo-se para os céus, por onde eles se deixariam levar às alturas, sem gravidade, numa união poderosa, possuindo um ao outro, afogando-se nas ondas de um êxtase arquejante e insensato. Era tão simples! Por que ainda não estavam lá, em vez de ficarem sentados, contidos por tudo o que não sabiam dizer, ou não ousavam fazer?

E o que é que os impedia? Suas personalidades e seus passados, sua ignorância e seu medo, o acanhamento, os melindres, a falta de habilitação ou de experiência ou de desembaraço, e depois o cortejo de uma proibição religiosa, a sua alma inglesa, a sua classe, e a própria história. Nada de muito importante. Ele retirou a mão, puxou Florence para si e a beijou nos lábios, com toda a prudência de que era capaz, represando a língua. Recostou-a sobre a cama de modo que ela ficasse com a cabeça apoiada no braço dele. E se deitou de lado, sustentando-se no cotovelo do mesmo braço, a observá-la de cima. A cama rangeu pesarosa quando se mexeram, a lembrança de outros casais que por ali passaram em lua-de-mel, todos sem dúvida mais competentes do que eles. Ele conteve o impulso repentino de rir da idéia de uma fila solene de casais a se estender pelo corredor e escada abaixo, até a recepção, de volta no tempo. Era importante não pensar neles; a comédia era um veneno para o erotismo. Também precisava manter afastado o pensamento de que ela pudesse estar aterrorizada por ele. Se acreditasse nisso, não poderia fazer mais nada. Ela estava entregue em seus braços, os olhos fixos nos dele, o rosto indolente e difícil de ler. A respiração regular e profunda, como a de alguém dormindo. Ele sussurrou seu nome e lhe disse mais uma vez que a amava, ela pestanejou e entreabriu a boca, talvez em consentimento, ou até em reciprocidade. Com a mão livre, ele começou a tirar a calcinha dela. Ela se retesou, mas não resistiu, e levantou as nádegas, ou metade delas, da cama. De novo, o ruído triste das molas do colchão ou do estrado da cama, como o balido de um cordeiro recém-nascido. Mesmo com seu braço livre esticado ao máximo, não dava para ele continuar escorando a cabeça dela e tirar ao mesmo tempo a calcinha pelos joelhos e pelos tornozelos. Ela o ajudou, dobrando os joelhos. Um bom sinal. Ele não podia enfrentar outra tentativa com o zíper do vestido, de modo que, por enquanto, o sutiã — de seda azul-clara, pelo que tinha vislumbrado, com um belo enfeite de renda — também devia permanecer no lugar. Tanto pior para a união despida nas alturas. Mas ela era bonita assim como estava, recostada no seu braço, com o vestido vincado na altura das coxas e as madeixas do cabelo emaranhado espalhadas sobre a colcha. Uma rainha solar. Beijaram-se de novo. Ele estava nauseado de desejo e indecisão. Para se despir, teria que interromper esse arranjo promissor dos seus corpos, e arriscar quebrar o encanto. À menor mudança, uma combinação de mínimos fatores, pequenos zéfiros de dúvida, ela podia voltar atrás. Mas ele estava convicto de que fazer amor — e pela primeira vez — apenas abrindo a braguilha era pouco sensual e grosseiro. E deselegante.

Depois de alguns minutos, ele escorregou para longe dela e se despiu apressado ao lado da janela, deixando uma zona imaculada em volta da cama, livre de toda essa banalidade. Pisou atrás dos sapatos para tirá-los dos pés, e arrancou as meias a golpes rápidos dos polegares. Notou que os olhos dela não estavam voltados para ele, mas para cima, para o dossel arqueado sobre ela. Em segundos, só lhe faltava tirar a camisa, a gravata e o relógio de pulso para ficar nu. De alguma forma, a camisa, em parte encobrindo em parte revelando sua ereção, como um lençol sobre um monumento público, correspondia educadamente ao código estabelecido pelo vestido dela. A gravata era claramente absurda, e, quando ele voltou para Florence, desvencilhou-se do nó com uma das mãos, enquanto desabotoava o colarinho com a outra. O movimento era uma bravata confiante, e por um instante sobreveio-lhe a idéia que certa vez tivera de si, de um sujeito sem polimento embora fundamentalmente decente e capaz, mas a imagem logo se dissipou. O fantasma de Harold Mather ainda o assombrava.

Florence decidiu não sentar, nem mesmo mudar de posição; ficou deitada de costas, olhando para o tecido plissado, de um tom esmaecido de marrom, sustentado por colunas que deviam evocar, ela supunha, uma velha Inglaterra de castelos de pedra fria e amor cortês. Concentrou-se na trama irregular do tecido, numa mancha verde do tamanho de uma moeda — como teria ido parar ali? — e num fio que pendia e balançava com a corrente de ar. Tentava não pensar no futuro imediato, nem no passado, e se imaginava agarrada àquele momento, ao precioso presente, como um alpinista sem cordas num penhasco, a esmagar o rosto contra a pedra, sem coragem de se mexer. O ar fresco percorria suavemente as suas pernas nuas. Ela escutou as ondas distantes, o grito das gaivotas prateadas e os ruídos de Edward se despindo. Lá vinha o passado de qualquer jeito, o passado indistinto. Convocado pelo cheiro de maresia. Ela estava com doze anos, deitada, imóvel como agora, esperando, tremendo no beliche estreito com guarnições de mogno polido. Sua cabeça era um espaço vazio, ela achava que tinha caído em desgraça. Após dois dias de travessia, estavam mais uma vez na tranqüilidade do porto de Carteret, ao sul de Cherbourg. Era tarde da noite, e seu pai se movia na cabine apertada e escura, despindo-se, como Edward agora. Ela se lembrava do farfalhar das roupas, do tinido de um cinto desatado ou de chaves ou moedas soltas. Sua única incumbência era manter os olhos fechados e pensar numa música de que gostasse. Ou em qualquer música. Lembrava-se do cheiro adocicado de comida quase podre no ar confinado de um barco depois de uma viagem agitada. Costumava enjoar muitas vezes durante a travessia, tornando-se incapaz de prestar assistência ao pai nas tarefas de marinheiro, e essa era sem dúvida a fonte da sua vergonha.

Tampouco podia evitar contemplar o futuro imediato. Sua esperança era que, a despeito do que viesse pela frente, fosse capaz de recuperar alguma versão daquela sensação de prazer a se disseminar, e que esta se alastrasse até rendê-la, e anestesiasse seus medos e a salvasse da humilhação. Parecia improvável. A verdadeira lembrança da sensação de se sentir em seu interior, de realmente saber como era, já se reduzira a um fato histórico ressequido. Acontecera uma vez, como a Batalha de Hastings. Apesar de tudo, era a sua única chance, e por isso era tão preciosa, como um cristal delicado e antigo, que podia cair facilmente, outra boa razão para não se mexer.

Ela sentiu a cama afundar e chacoalhar quando Edward subiu, e o rosto dele, substituindo o dossel, ocupou sua visão. Obsequiosamente, ela levantou a cabeça, de modo a que ele pudesse enfiar o braço de novo debaixo dela, como uma almofada. Ele a apertou ao longo de todo o lado do corpo. Ela podia ver a escuridão das narinas dele e um único pêlo torto dentro da esquerda, em pé como um homem curvado à entrada de uma gruta, tremelicando a cada expiração. Ela gostava das linhas bem definidas do recorte em forma de insígnia no lábio superior dele. Do lado direito do filtro nasal havia uma nódoa rósea, uma irritação ligeiramente elevada, o início ou o vestígio de uma inflamação. Ela sentiu a ereção contra os seus quadris, dura como um cabo de vassoura e pulsante, e para seu espanto aquilo não a incomodou muito. O que ela não queria, não ainda, era vê-la.

Para selar a união, ele baixou a cabeça, e eles se beijaram, a língua dele mal roçava a ponta da dela, e, mais uma vez, ela se sentiu grata. Inibidos pelo silêncio do bar no andar de baixo — nenhum rádio, nenhuma conversa —, sussurraram seus "eu te amo". Foi um alívio para ela recorrer, ainda que baixinho, à fórmula inabalável que os unia, e isso sem dúvida provava que seus interesses eram idênticos. Ela se perguntava se não devia talvez entrar no jogo, e ser forte o bastante para fingir convincentemente, e depois ainda, em sucessivas ocasiões, podar suas angústias por meio da simples familiaridade, até que pudesse de fato sentir e dar prazer. Ele não precisaria saber, pelo menos não até ela lhe contar tudo, de dentro do conforto da sua nova autoconfiança, como uma história engraçada, do tempo em que ela não passava de uma garota ignorante e infeliz com seus tolos temores. Agora, já não se incomodava de ele tocar-lhe os seios, quando no passado o teria rechaçado. Havia esperança para ela, e, diante desse pensamento, aproximou-se do peito dele. Ele não tinha tirado a camisa, e ela deduziu que fosse porque os preservativos estavam no bolso de cima, de fácil acesso. A mão dele percorria todo o corpo dela e levantava a barra da saia até a cintura. Ele sempre fora reticente quanto às garotas com quem transara, mas ela não duvidava da riqueza de sua experiência. Ela sentiu o ar estival entrando pela janela e fazendo-lhe cócegas nos pêlos pubianos descobertos. Já avançara muito num novo território, o suficiente para não poder voltar atrás.

Nunca havia passado pela cabeça de Florence que os preâmbulos do sexo se dariam numa demonstração muda, num silêncio tão intenso e cauteloso. Mas, além das óbvias três palavras, o que ela própria podia dizer que não soasse artificioso ou idiota? E, já que ele estava calado, ela supôs que essa era a convenção. Teria preferido que houvessem murmurado carinhos tolos como os que trocavam deitados no quarto dela em North Oxford, devidamente vestidos, jogando a tarde fora. Precisava sentir-se próxima dele para acalmar o demônio do pânico que ela sabia estar prestes a subjugá-la. Precisava saber que ele estava com ela, do lado dela, e não iria usá-la, que ele era seu amigo, que era gentil e delicado. Senão, podia dar tudo errado, de um modo muito solitário. Ela dependia dele para lhe dar segurança, além de amor, e afinal não conseguiu se conter, proferindo a ordem vazia: "Diga alguma coisa".

Um efeito imediato e benéfico foi a mão dele parar abruptamente, não longe de onde antes estivera, centímetros abaixo do umbigo. Ele olhou sobranceiro para ela, os lábios um pouco trêmulos — nervosismo talvez, ou o esboço de um sorriso, ou um pensamento tomando a forma de palavras.

Para alívio dela, ele pegou a deixa e recorreu à velha forma de estupidez. Disse solene: "Você tem um rosto adorável e uma bela constituição, cotovelos e tornozelos sensuais, e uma clavícula, um putâmen e um *vibrato* que todo homem deve adorar, mas você é toda minha, e estou muito contente e orgulhoso".

Ela disse: "Muito bem, você pode beijar o meu *vibrato*".

Ele tomou a sua mão esquerda e chupou as pontas dos dedos dela sucessivamente, pondo a língua nos calos de violinista. Eles se beijaram, e foi nesse momento de relativo otimismo para Florence que ela sentiu os braços dele tensos — de repente, num movimento hábil e atlético, ele havia rolado por cima dela, e, embora seu peso estivesse em grande parte apoiado nos cotovelos e antebraços dos dois lados da cabeça de Florence, ela estava presa, indefesa e um pouco sufocada debaixo daquele corpanzil. Ficou desapontada por ele não se alongar em carícias na área pubiana, desatando de novo aquele frêmito estranho e progressivo. Mas sua preocupação imediata — um desdobramento da repulsa ou do medo — era manter as aparências, não deixar de lhe corresponder e não se humilhar, não parecer uma pobre escolha entre todas as mulheres que ele conhecera. Ela precisava conseguir passar por isso. Nunca o deixaria saber a luta que foi, o que lhe custou, parecer calma. Não tinha outro desejo além de querer agradá-lo e fazer da noite um sucesso, nenhuma outra sensação além da consciência da ponta do pênis, estranhamente frio, batendo e socando repetidamente à entrada e ao redor da sua uretra. Achou que seu pânico e sua repugnância estavam sob controle, amava Edward, e todos os pensamentos dela se concentravam em ajudá-lo a obter o que tanto desejava e em fazê-lo amá-la ainda mais. Foi com esse espírito que ela escorregou a mão por entre a sua virilha e a dele. Ele se levantou um pouco para permitir-lhe a passagem. Ficou satisfeita consigo mesma ao lembrar que o manual vermelho informava ser perfeitamente aceitável que a noiva "conduzisse o homem para dentro".

Primeiro tocou os testículos e, agora sem medo nenhum, curvou os dedos delicadamente em volta desse corpo extraordinário e enrugado que tinha visto nas formas mais variadas em cães e cavalos, sem nunca acreditar realmente que pudessem se acomodar em humanos adultos. Puxando os dedos pela parte inferior, chegou à base do pênis, que segurou com extremo cuidado, já que não fazia idéia de quão sensível ou robusto ele era. Arrastou os dedos ao longo do seu comprimento, notando com interesse a textura sedosa, até a ponta, que acariciou ligeiramente; e então, espantada com a sua própria impudência, recuou um pouco para baixo, para segurar o pênis com firmeza, lá pela metade, e empurrá-lo para baixo, um leve ajuste, até senti-lo tocar os grandes lábios.

Como podia saber que cometia um erro terrível? Teria puxado a coisa errada? Será que apertara demais? Ele soltou um gemido, uma série complicada de vogais agonizantes e ascendentes, o tipo de som que ela ouvira certa vez numa comédia no cinema quando o garçom, dando voltas de um lado para outro, parecia estar prestes a derrubar uma enorme pilha de pratos de sopa.

Horrorizada, ela o soltou, enquanto Edward, levantando-se com um olhar atordoado, e os músculos das costas arqueados em espasmos, esvaiu-se em gotas sobre ela, enchendo seu umbigo, cobrindo sua barriga, as coxas, e até uma parte do queixo e da rótula, com um fluido viscoso e tépido. Foi uma calamidade, e ela entendeu na hora que a culpa era sua, que era inepta, ignorante e estúpida. Não devia ter interferido, nunca devia ter acreditado no manual. Se a jugular dele tivesse arrebentado, não teria parecido mais terrível. Era próprio dela intrometer-se cheia de si num assunto de impressionante complexidade; deveria saber muito bem que sua atitude nos ensaios do quarteto de cordas não tinha nenhuma pertinência ali.

E havia outro elemento, a seu modo bem pior e muito além do controle dela, evocando memórias que ela decidira fazia muito tempo não serem realmente suas. Enchera-se de orgulho, apenas meio minuto antes, por dominar os sentimentos e parecer calma. Mas agora era incapaz de conter o nojo original, o horror visceral de estar encharcada daquele fluido, do muco de outro corpo. Em segundos, o líquido se enregelara sobre sua pele, sob a brisa do mar, e ainda assim, bem como ela imaginara, parecia escaldá-la. Nada na sua natureza teria impedido o grito momentâneo de asco. A sensação do fluido escorrendo pela pele em riachos caudalosos, sua estranheza leitosa, o cheiro íntimo de goma, e com ele o fedor de um segredo guardado no mofo do seu confinamento — ela não conseguia, tinha de se ver livre daquilo. Enquanto Edward se encolhia diante dela, ela se virou e se pôs de joelhos, arrancou um travesseiro de sob a colcha e passou a se limpar freneticamente. Ao fazê-lo, deu-se conta da repulsa e da indelicadeza do seu comportamento, e de que devia contribuir para a humilhação dele vê-la remover desesperadamente da pele uma parte dele. Na verdade, não era assim tão fácil. Grudava nela conforme ela esfregava, e em algumas partes já estava secando num verniz rachado. Ela era duas pessoas — a que arremessou o travesseiro longe em sinal de exasperação e a que refletia e se odiava por isso. Era insuportável que ele estivesse a observá-la, a mulher histérica e punitiva com quem ele insensatamente se casara. Ela podia odiá-lo pelo que ele testemunhava e que nunca mais esqueceria. Tinha de se afastar dele.

Num acesso de raiva e de vergonha, ela pulou da cama. E, ainda assim, o seu outro eu observador parecia lhe pedir que se mantivesse calma, não propriamente em palavras: *Mas é isso justamente enlouquecer*. Ela não podia olhar para ele. Era um suplício ficar no quarto com alguém que a conhecia a esse ponto. Ela recolheu os sapatos no chão, correu através da antecâmara, passando pelos restos do jantar, saiu pelo corredor, desceu as escadas, transpôs a entrada principal e, contornando o hotel pelo lado, ganhou o gramado musguento. E, mesmo depois de finalmente chegar à praia, não parou de correr.

4.

Durante o breve ano entre o primeiro encontro com Florence em St. Giles e o casamento em St. Mary, a cerca de um quilômetro de distância, Edward costumava ser convidado para dormir na mansão vitoriana, numa transversal da Banbury Road. Violet Ponting lhe reservara o que a família chamava de o "pequeno quarto", no último andar, castamente afastado do de Florence, com a vista de um jardim murado de noventa metros de comprimento e, mais adiante, o terreno de um colégio ou de um asilo de velhos — ele nunca se dera o trabalho de descobrir. O "pequeno quarto" era maior do que qualquer um na casa de Turville Heath, e possivelmente maior também que a sala de estar. Uma das paredes estava coberta de prateleiras pintadas de branco com edições Loeb em latim e grego. Edward gostava da associação com um aprendizado tão austero, embora soubesse que não enganava ninguém ao deixar exemplares de Epicteto e Estrabão na mesa-de-cabeceira. Como no resto da casa, as paredes desse quarto eram pintadas exoticamente de branco — não havia nem um pedaço de papel de parede na propriedade Ponting, nem com motivos florais nem listrado — e o chão era de tábuas corridas nuas, sem nenhum tratamento. Ele tinha o último andar para si, com um vasto banheiro num mezanino com janelas vitorianas de vidros coloridos e revestimento de cortiça envernizada — outra novidade.

Sua cama era larga e excepcionalmente dura. Num canto, debaixo da vertente do telhado, havia uma mesa de pinho escovado com uma lâmpada articulada e uma cadeira de cozinha pintada de azul. Não se viam quadros nem tapetes, nem adornos, nem revistas recortadas ou outros vestígios de hobbies ou projetos. Pela primeira vez na vida, ele fez algum esforço para ser arrumado, pois esse era um quarto diferente de todos os que conhecera, onde era possível desenvolver pensamentos tranqüilos e ordenados. Foi ali que, numa meia-noite radiosa de novembro, Edward escreveu uma carta formal para Violet e Geoffrey Ponting, declarando sua ambição de se casar com a filha deles, não pedindo propriamente permissão, mas esperando confiante que o autorizassem a fazê-lo.

Não estava errado. Pareceram encantados e oficializaram o noivado com um almoço de família, num domingo, no hotel Randolph. Edward sabia muito pouco do mundo para se surpreender com as boas-vindas com que era recebido entre os Ponting. Educadamente, tomou como direito seu, já que era namorado firme e noivo de Florence, que o quarto estivesse à disposição dele sempre que vinha de Henley para Oxford, de carona ou de trem; que seu lugar estivesse sempre à mesa, para refeições em que suas opiniões sobre o governo e a situação mundial seriam solicitadas; que tivesse livre acesso à biblioteca e ao jardim, com suas quadras demarcadas de croquet e de badminton. Ficava agradecido, mas nada surpreso, quando sua roupa era lavada com a da família, e uma pilha bem passada aparecia sobre o cobertor no pé da cama, cortesia da faxineira, que vinha todo santo dia da semana.

Achou que não passava de gentileza quando Geoffrey Ponting quis jogar tênis com ele nas quadras gramadas de Summertown. Edward era um jogador medíocre — tinha um saque decente, servindo-se da sua altura, e volta e meia acertava uma rebatida longa e forte do fundo da quadra. Mas na rede ele era atrapalhado e obtuso, não podia confiar no seu *backhand* insubordinado, preferindo contornar a bola pela esquerda. Tinha um pouco de medo do pai da namorada, inquietava-se com que Geoffrey Ponting o tomasse por um intruso, um impostor, um ladrão planejando um assalto à virgindade da filha para em seguida desaparecer — apenas uma parte disso era verdade. No carro, a caminho das quadras, ele também ficou preocupado com a partida — seria deselegante vencer, e uma total perda de tempo para seu anfitrião se Edward não conseguisse demonstrar nenhuma resistência como adversário. Não teria sido necessário se atormentar por nenhuma das duas coisas. Ponting estava em outra categoria, era um tenista de jogadas rápidas e certeiras, e de uma vitalidade empertigada e surpreendente para um homem de cinqüenta anos. Ganhou o primeiro set por 6 a 1; o segundo, por 6 a 0; o terceiro, por 6 a 1, mas o que mais impressionava era a sua fúria sempre que Edward conseguia arrancar um ponto. Conforme caminhava de volta para a sua posição, o velho jogador resmungava um sermão que, pelo que Edward podia discernir do outro extremo, continha violentas ameaças contra a sua integridade. Na verdade, vez por outra Ponting acertava em cheio a própria nádega direita com a raquete. Não queria apenas vencer, ou vencer facilmente: queria cada um dos pontos, até o último. Os dois jogos que perdeu no primeiro e no terceiro set, e os poucos erros que teria podido evitar o deixaram quase a ponto de gritar — Pelo amor de Deus, cara! Qual é?! A volta de carro para casa foi lacônica, Edward podia sentir que a dúzia de pontos que marcara em três sets significava uma espécie de vitória. Se tivesse realmente vencido nos moldes convencionais, talvez nunca mais lhe fosse permitido voltar a ver Florence.

Em geral, Geoffrey Ponting, com seu jeito nervoso e ativo, era muito afável com ele. Se Edward estivesse em casa quando ele chegava do trabalho, por volta das sete, ele preparava gins-tônicas para ambos — doses iguais de gim e tônica do seu armário de bebidas e muitos cubos de gelo. Para Edward, drinques com gelo eram uma novidade. Eles sentavam no jardim e conversavam sobre política — na maior parte do tempo, Edward escutava os pontos de vista do futuro sogro sobre o declínio dos negócios britânicos, sobre as disputas a propósito dos limites dos sindicatos e sobre a loucura de conceder a independência a várias colônias africanas. Mesmo sentado, Ponting não relaxava — equilibrava-se na ponta da cadeira, pronto para se levantar num pulo, sacudindo o joelho para cima e para baixo enquanto falava, ou meneando os dedos nas sandálias conforme um ritmo em sua cabeça. Era bem mais baixo que Edward, mas com uma constituição forte e braços musculosos cobertos de pêlos louros, os quais gostava de mostrar, usando camisas de mangas curtas mesmo no trabalho. Sua careca também parecia uma afirmação de poder, mais do que conseqüência da idade — a pele bronzeada era firme e lisa, como velas enfunadas, esticada sobre o crânio largo. O rosto também era grande, com pequenos lábios carnudos, que em posição de descanso faziam um beicinho decidido, com um nariz de batata e olhos bem separados, de modo que, sob certa iluminação, ele se assemelhava a um feto gigante.

Florence nunca parecia querer se juntar a eles nessas conversas de jardim, e talvez Ponting não a quisesse lá. Até onde Edward podia perceber, pai e filha raramente se falavam, a não ser em conversas em grupo e, portanto, de maneira inconseqüente. Parecia-lhe que estavam muito ligados em pensamento, e tinha a impressão de que trocavam olhares quando as outras pessoas falavam, como se compartilhassem uma crítica secreta. Ponting estava sempre com os braços em volta dos ombros de Ruth, mas nunca dava demonstrações de afeto pela filha mais velha na presença de Edward. Em vez disso, nas conversas, fazia muitas referências lisonjeiras a "Florence e você" ou "a vocês, jovens". Foi ele, mais do que Violet, quem ficou excitado com a notícia do noivado e marcou o almoço no Randolph, onde fez meia dúzia de brindes. Chegou a passar pela cabeça de Edward, sem maior gravidade, que ele fosse por demais apegado à filha para cedê-la.

Foi nessa época que Florence sugeriu ao pai que Edward podia ser uma aquisição para a empresa. Numa manhã de sábado, Ponting o levou no seu Humber até a fábrica na periferia de Witney, onde se concebiam e montavam instrumentos científicos transistorizados. Não parecia nem um pouco incomodado, enquanto avançavam pelo labirinto de bancadas, através do cheiro desagradável de solda fundida, de que Edward, certamente entorpecido por ciência e tecnologia, não conseguisse pensar numa única pergunta interessante a fazer. Edward reanimou-se um pouco ao encontrar, numa sala dos fundos, sem janelas, o gerente de vendas careca, de vinte e nove anos, que tinha um diploma em história pela universidade de Durham, com uma tese de doutorado sobre o monasticismo medieval no nordeste da Inglaterra. Naquela noite, numa conversa regada a gim-tônica, Ponting ofereceu um emprego a Edward: teria de viajar a serviço da firma e fazer novos negócios. Teria de ler sobre os produtos, um pouquinho sobre eletrônica e menos ainda sobre as leis contratuais. Edward, que continuava sem planos de carreira e podia muito bem se imaginar escrevendo livros de história em trens e em quartos de hotel entre uma reunião e outra, aceitou a oferta, mais por educação do que por real interesse.

Os muitos afazeres domésticos aos quais Edward se prestava o aproximou ainda mais dos Ponting. Naquele verão de 1961, ele cortou os vários gramados muitas vezes — o jardineiro estava doente e de licença —, empilhou doze metros cúbicos de lenha na despensa, e usou o segundo carro da família, um Austin 35, para levar para o depósito de lixo, regularmente, o entulho da garagem que Violet queria converter em extensão da biblioteca. Nesse mesmo carro — nunca permitiram que ele dirigisse o Humber —, ele deixava a irmã de Florence, Ruth, na casa de amigos e primos em Thame, Banbury e Stratford, e depois ia buscá-la. Servia de motorista para Violet, e uma vez, no caminho para um simpósio sobre Schopenhauer, em Winchester, ela o crivou de perguntas sobre seu interesse em cultos milenaristas. Que papel tiveram a fome e as reviravoltas sociais na angariação de seguidores? Esses movimentos, com seu anti-semitismo e os ataques à Igreja e aos comerciantes, não poderiam ser vistos como uma forma primeva de socialismo do tipo russo? E depois, também por provocação: Não seria a guerra nuclear o equivalente moderno do Apocalipse de São João, e não estaríamos condenados para sempre, por nossa história e por nossa natureza culpada, a sonhar com o nosso aniquilamento?

Ele respondeu nervoso, consciente de que seu valor intelectual estava sendo posto à prova. Enquanto falava, passavam pela periferia de Winchester. Pelo canto do olho, ele a viu tirar o pó-de-arroz da bolsa e retocar as feições brancas e crispadas. Ele ficava fascinado com seus braços pálidos, de varapau, e com os cotovelos angulosos, e voltava a se perguntar se ela seria realmente a mãe de Florence. Mas agora era obrigado a se concentrar, ao mesmo tempo que dirigia. Disse acreditar que a diferença entre o passado e o presente era mais importante do que a semelhança. Era a diferença entre, por um lado, uma fantasia lúrida e absurda, urdida por um místico depois da Idade do Ferro, e em seguida burilada por seus crédulos equivalentes medievais, e, por outro lado, o temor racional de um acontecimento possível e terrível, que estava ao nosso alcance evitar.

Num tom de reprimenda encrespada, que pôs um ponto final na conversa, ela respondeu que ele não havia entendido nada do que ela dissera. A questão não era se os devotos medievais estavam enganados sobre o Apocalipse de São João e o fim do mundo. É claro que estavam, mas acreditavam com fervor estarem certos, e agiam segundo suas convicções. Da mesma forma, ele próprio acreditava sinceramente que as armas nucleares destruiriam o mundo, e agia de acordo com essa convicção. Não vinha nem um pouco ao caso que ele estivesse errado, que na verdade tais armas mantivessem o mundo protegido das guerras. Era esse, afinal de contas, o propósito da dissuasão. Seguramente, como historiador, ele aprendera que ao longo dos séculos as ilusões de massa obedeciam a temas comuns. Quando Edward entendeu que ela associava o seu apoio à Campanha pelo Desarmamento Nuclear com o culto a uma seita milenarista, recolheu-se educadamente, e eles continuaram pelo último quilômetro em silêncio. Em outra ocasião, ele levou e trouxe Violet de Cheltenham, onde ela ministrou para a sexta série do Colégio de Moças uma aula sobre as vantagens de uma educação em Oxford.

A sua própria educação estava ganhando velocidade. Durante aquele verão, ele comeu pela primeira vez uma salada com molho de limão e azeite, e tomou iogurte no café-da-manhã — uma substância glamourosa que ele só conhecia de um romance de James Bond. A cozinha apressada do pai e o regime de tortas e fritas dos seus dias de estudante não podiam tê-lo preparado para os estranhos legumes, as berinjelas, os pimentões verdes e vermelhos, as abobrinhas e ervilhas, que agora lhe serviam regularmente. Ficou surpreso, e até um pouco desconcertado, na sua primeira visita, quando Violet serviu de entrada uma tigela de ervilhas malcozidas. Teve de superar o nojo, nem tanto pelo gosto, mas pela reputação, do alho. E Ruth morreu de rir, minutos a fio, sendo obrigada a deixar o aposento, quando ele chamou um croissant de baguete. Logo no começo, ele causou forte impressão nos Ponting ao afirmar que nunca estivera no exterior, à exceção da Escócia, para escalar os três Munroes da península de Knoydart. Pela primeira vez na vida, deparava com müsli, azeitonas, pimenta-do-reino fresca, pão sem manteiga, anchovas, cordeiro malpassado, queijo que não fosse cheddar, *ratatouille*, salame, *bouillabaisse*, refeições completas sem batatas e, mais desafiador do que tudo, uma pasta rosada de peixe, *taramasalata*. Muitos desses itens tinham gosto apenas levemente repugnante, e se assemelhavam de um modo indefinido, mas ele estava decidido a não parecer pouco sofisticado. Às vezes, quando comia muito depressa, quase tinha engulhos.

Incorporou algumas das novidades imediatamente: café filtrado e moído na hora, suco de laranja no café-da-manhã, *confit* de pato, figos frescos. Não estava em posição de saber a que ponto os Ponting representavam uma situação incomum: uma mulher formada em Oxford, casada com um empresário de sucesso e velha conhecida de Elizabeth David, administrando uma casa na vanguarda de uma revolução culinária, enquanto dava aulas sobre mônadas e o imperativo categórico. Edward absorveu essas circunstâncias domésticas sem reconhecer sua opulência exótica. Admitia que era assim que os professores de Oxford viviam, e não seria pego em flagrante deixando-se impressionar.

Na verdade, estava extasiado, vivia um sonho. Durante aquele verão quente, seu desejo por Florence era inseparável do ambiente — os enormes quartos brancos com piso de tábuas corridas sem vestígio de poeira, aquecidos pela luz do sol; o ar fresco e verde que o jardim emaranhado exalava para o interior da casa através das janelas abertas; as flores perfumadas de North Oxford; os livros de capa dura recém-chegados, empilhados nas mesas da biblioteca — o novo Iris Murdoch (ela era amiga de Violet), o novo Nabokov, o novo Angus Wilson —, e seu primeiro encontro com um toca-discos estereofônico. Certa manhã, Florence lhe mostrou as válvulas expostas, cor de laranja e incandescentes, de um amplificador saindo de um elegante móvel cinzento, e as caixas de som que chegavam à cintura, e o fez ouvir num volume impiedoso a *Sinfonia Haffner*, de Mozart. O salto da oitava na abertura apossou-se dele com uma clareza desafiadora — toda a orquestra de repente se descortinou na sua frente —, ele levantou o punho e gritou que a amava, no meio da sala, pouco ligando para quem o ouvisse. Era a primeira vez que dizia aquilo, para ela ou para quem quer que fosse. Ela declamou as palavras de volta para ele e riu, deleitando-se com o fato de ele afinal ter se emocionado com um trecho de música clássica. Ele atravessou a sala e tentou dançar com ela, mas a música disparou e ficou agitada, e eles se detiveram numa parada imperfeita e a deixaram envolvê-los numa espiral enquanto se beijavam.

Como podia fingir para si mesmo que, no âmbito de sua estreita existência, essas não fossem experiências extraordinárias? Tentava não pensar nisso. Não era de temperamento introspectivo, e andar pela casa dela com uma ereção constante, ou assim lhe parecia, de algum modo embotava ou limitava-lhe os pensamentos. Pelas regras implícitas da casa, era-lhe permitido refestelar-se na cama dela durante o dia, enquanto ela praticava o violino, com a condição de que a porta fosse mantida aberta. Devia ficar lendo, mas tudo o que conseguia era observá-la e amar seus braços nus, o arco no cabelo, as costas retas, o torneio suave do queixo sob o qual ela aconchegava o instrumento, a curva dos seios em silhueta contra a janela, a maneira como a barra da saia de algodão balançava, ao movimento do arco, contra as panturrilhas bronzeadas e os pequenos músculos que aí se desfiavam conforme ela se movia e inclinava. Vez por outra, ela suspirava por causa de uma imperfeição de tom ou de encadeamento, e repetia a passagem várias vezes. Outro indicador de seu estado de espírito era o jeito como virava as páginas no atril, passando para outro trecho com um gesto brusco e vigoroso do pulso ou, em outras ocasiões, num movimento demorado, finalmente satisfeita consigo mesma ou prevendo novos prazeres. Ele ficava surpreso, quase impressionado, com a capacidade dela para ignorar a sua presença — tinha o dom da concentração absoluta, ao passo que ele podia passar o dia inteiro num estado intermediário entre o tédio e o tesão. Podia se passar uma hora antes de ela dar sinais de voltar a percebê-lo ali, e, embora se virasse para ele e sorrisse, nunca vinha se juntar a ele na cama — a feroz ambição profissional, ou algum outro protocolo doméstico, mantinha-a firme onde estava.

Costumavam caminhar até Port Meadow, Tâmisa acima, para tomar uma cerveja no Perch ou no Trout. Quando não estavam falando de seus sentimentos — Edward começava a ficar empanzinado dessas conversas —, o tema eram as suas ambições. Ele vinha expandindo a série de pequenas histórias de figuras semi-esquecidas que conviveram por períodos curtos com grandes homens, ou que tiveram breves momentos ao sol. Descreveu-lhe a arremetida desvairada de Sir Robert Carey rumo ao norte, como chegara à corte de Jaime com o rosto coberto de sangue em conseqüência de uma queda do cavalo e como todos os seus esforços não lhe renderam nada. Após a conversa com Violet, Edward decidira acrescentar um dos devotos medievais de Norman Cohn, um messias flagelador da década de 1360 cuja vinda fora anunciada, segundo o proclamavam ele e seus seguidores, pelas profecias de Isaías. Cristo era apenas precursor dele, pois ele era o Imperador dos Últimos Dias, assim como o próprio Deus. Seu séquito de autoflageladores lhe obedeciam como escravos e rezavam em seu louvor. Chamava-se Konrad Schmid, e acabara provavelmente queimado na fogueira pela Inquisição, em 1368, depois de o enorme bando de seguidores simplesmente se dispersar. Na cabeça de Edward, cada história não teria mais do que duzentas páginas e seria publicada, com ilustrações, pela Penguin Books, e talvez, quando a série estivesse completa, pudesse ser vendida em conjunto, numa caixa especial.

Florence falava com naturalidade sobre seus planos para o Quarteto Ennismore. Uma semana antes, haviam ido à antiga faculdade tocar os Razumovski de Beethoven, na íntegra, para o orientador dela, e ele ficara claramente emocionado. Disse-lhes logo de saída que tinham um futuro pela frente e deviam, a todo custo, manter-se unidos e trabalhar com extremo afinco. Exortou-os a focar o repertório, concentrar-se em Haydn, Mozart, Beethoven e Schubert, e deixar Schumann, Brahms e todos os compositores do século XX para depois. Florence disse a Edward que não queria outra coisa na vida, não suportaria desperdiçar anos atrás de um atril no fundo de uma orquestra qualquer, e isso supondo que algum dia viria a conseguir um lugar em alguma orquestra. O trabalho com o quarteto era tão intenso, a exigência de concentração tão grande quando cada um dos músicos assumia o papel de solista, a música tão bela e rica, que, a cada vez que tocavam uma composição até o fim, descobriam uma novidade.

Dizia tudo isso sabendo que a música clássica nada significava para ele. No que se referia a Edward, a melhor música clássica se escutava em volume baixo e ao fundo, um fluxo indiferenciado de vagido, chiado e apito, geralmente apreendido como um sinal de seriedade, maturidade e respeito pelo passado, completamente desprovido de interesse ou emoção. Mas Florence acreditava que esse grito triunfante na abertura da *Sinfonia Haffner* marcara uma ruptura, e por isso o convidou a acompanhá-la até Londres e assistir a um ensaio. Ele estava pronto para aceitar — é claro que queria vê-la tocando, mas mais premente ainda era a curiosidade de descobrir se o violoncelista, Charles, de quem ela tanto falava, era de algum modo um rival. Se fosse, Edward achava que precisava marcar presença.

Por conta da calmaria da baixa temporada durante o verão, a sala de piano vizinha ao Wigmore Hall cedeu ao quarteto um espaço de ensaio por uma taxa irrisória. Florence e Edward chegaram bem antes dos outros, de modo a que ela pudesse dar um giro com ele pelo Hall. Nem a sala verde, nem o vestiário apertado, nem mesmo o auditório e a cúpula podiam justificar, ele pensou, a reverência que ela demonstrava pelo lugar. Tinha orgulho do Wigmore Hall como se ela própria o houvesse desenhado. Ela o conduziu até o palco e lhe pediu que imaginasse a excitação e o terror de subir ali para tocar diante de uma platéia de conhecedores. Ele não conseguia imaginar, mas não disse nada. Ela garantiu que um dia aquilo aconteceria, estava convencida: o Quarteto Ennismore tocaria ali, lindamente, e seria um triunfo. Ele a amou pela solenidade da promessa. Beijou-a, depois pulou para a platéia e prometeu, bem no centro da terceira fila, que, independentemente do que acontecesse, ele ali estaria nesse dia, naquela mesma poltrona, 9C, para comandar os aplausos e os bravos no final.

Quando o ensaio começou, Edward sentou-se em silêncio num canto da sala vazia, em estado de profunda felicidade. Descobria que ficar apaixonado não era uma condição estável, mas uma série de ondas renovadas e repentinas, e ele passava por uma agora. O violoncelista gaguejava, claramente desconcertado com a presença do novo amigo de Florence; tinha cara de lua cheia e uma pele horrível, e Edward foi capaz de se apiedar dele e generosamente perdoar sua fixação submissa em Florence, pois ele tampouco conseguia tirar os olhos dela. Ela entrava numa espécie de transe de satisfação quando se punha a trabalhar com os amigos. Enfiou o arco no cabelo, e Edward, à espera do início da sessão, caiu num devaneio, não apenas sobre sexo com Florence, mas sobre casamento, e família, e sobre a filha que teriam. Podia ser um traço de maturidade contemplar tais coisas. Talvez fosse apenas uma variação respeitável de um velho sonho de ser amado por mais de uma garota. A filha teria a beleza e a seriedade da mãe, e as adoráveis costas retas, além de certamente tocar um instrumento — o violino provavelmente, embora ele não descartasse de todo a guitarra elétrica.

Naquela tarde específica, Sonia, a viola da mesma ala de Florence no albergue, veio trabalhar o quinteto de Mozart. Enfim, estavam prontos para começar. Fez-se o silêncio mais breve e tenso que o próprio Mozart poderia ter determinado. Assim que se puseram a tocar, Edward ficou impressionado com a pureza do volume, o vigor do som e a maciez com que os instrumentos se entremeavam, e por minutos seguidos realmente apreciou a música — até perder o fio e se aborrecer, de um jeito familiar, com a agitação afetada e a mesmice de tudo. Então, Florence pediu uma pausa e fez comentários tranqüilos, aos quais se seguiu um debate geral antes de retomarem. Isso aconteceu diversas vezes, e a repetição começou a revelar a Edward uma melodia suave e discernível e vários enredos de passagem entre os músicos, ataques e saltos desafiadores que ele acabava procurando na vez seguinte. Mais tarde, no trem de volta para casa, ele foi capaz de lhe dizer, na mais completa honestidade, que se emocionara com a música, chegando até a cantarolar trechos para ela. Florence ficou tão tocada, que fez outra promessa —

de novo aquela solenidade comovente que parecia dobrar o tamanho dos seus olhos. Quando chegasse o grande dia da estréia do Ennismore no Wigmore Hall, eles tocariam o Quinteto, especialmente para ele.

Em retribuição, ele trouxe do sítio para Oxford uma seleção dos discos dos quais queria que ela aprendesse a gostar. Ela sentava imóvel e escutava Chuck Berry, com paciência, os olhos fechados e muita concentração. Ele pensava que ela pudesse não gostar de "Roll over Beethoven", mas ela achou a maior graça. Ele lhe apresentou versões "canhestras e honestas" de Chuck Berry pelos Beatles e pelos Rolling Stones. Ela tentou encontrar alguma coisa apreciativa para dizer sobre cada uma delas, mas usou palavras como "animada" ou "jovial" ou "sincera", e ele sabia que ela estava apenas sendo gentil. Quando ele deu a entender que rock and roll não era realmente "a dela", e que não fazia sentido continuar tentando, ela admitiu que o que não suportava era a bateria. Se a melodia era tão elementar, em geral uma cadência simples de quatro tempos, por que tinha de haver essa batida implacável, todo esse estrondo e estardalhaço, para marcar o ritmo? Qual era o objetivo, se já havia uma guitarra rítmica e, muitas vezes, um piano? Se os músicos tinham de ouvir a marcação, por que não usavam um metrônomo? O que seria do Quarteto Ennismore se incluísse um baterista? Ele a beijou e disse que ela era a pessoa mais quadrada de toda a civilização ocidental.

"Mas você me ama", ela disse.

"Por isso eu te amo."

No início de agosto, quando um vizinho de Turville Heath caiu doente, ofereceram temporariamente a Edward o emprego dele, de meio período, em que cuidava da preparação do campo no clube de críquete de Turville. Devia fazer doze horas por semana, distribuídas como ele bem entendesse. Gostava de sair de casa de manhã cedo, antes mesmo de o pai acordar, e descer a alameda dos limoeiros, cercado pelo chilreio dos passarinhos, até o campo, como se fosse o dono do lugar. Ao longo da primeira semana, preparou o terreno para o campeonato local, o grande jogo contra o Stonor. Aparou a grama, passou o rolo compressor e ajudou um carpinteiro que viera de Hambledon a construir e pintar o novo placar. Sempre que não estava trabalhando e não era solicitado em casa, ia direto para Oxford, não somente porque desejava ver Florence, mas também por querer planejar a visita que ela estava para fazer à sua família. Não sabia o que ela e sua mãe achariam uma da outra, nem como Florence reagiria à sujeira e à desarrumação da casa. Achava que precisaria de tempo para preparar as duas mulheres, mas, como acabou se revelando, isso não foi necessário; ao atravessar o campo de críquete no começo de uma tarde quente de sexta-feira, encontrou Florence à sua espera à sombra do pavilhão. Ela conhecia seus horários, havia tomado um trem matutino e caminhara desde Henley, na direção do vale de Stonor, com um mapa em escala um para mil na mão e um par de laranjas numa bolsa de lona. Por meia hora, ela o observara demarcando os limites do campo. Amando-o de longe, ela disse, quando se beijaram.

Aquele foi um dos momentos altos do início do amor, quando saíram devagar, de braço dado, subindo a gloriosa alameda, pelo centro da pista, para dela se apossar por inteiro. Agora, que era inevitável, a perspectiva de um encontro com a mãe dele e com a casa já não tinha grande importância. As sombras que os limoeiros projetavam eram tão intensas, que pareciam tingi-los de azul-escuro na claridade do dia; a charneca estava repleta de capim novo e flores silvestres. Ele mostrou seu conhecimento sobre os nomes que as flores tinham na região e chegou até a encontrar, por sorte, na beira do caminho, uma moita de gencianas roxas. Colheram apenas uma. Viram uma verdelha, um tentilhão verde e em seguida um gavião, que passou voando como um raio, dando uma guinada em ângulo fechado em torno de um abrunheiro. Ela não conhecia nem mesmo os nomes de aves comuns como essas, mas se disse determinada a aprendê-los. Exultava com a beleza do caminho, e com a boa escolha que fizera em seu percurso até ali, deixando o vale de Stonor para trás e seguindo pela trilha rural e estreita até o solitário Bix Bottom, para depois passar pelas ruínas cobertas de hera da igreja de St. James e subir as encostas arborizadas até o rancho em Maidensgrove, onde descobriu uma vastidão de flores silvestres, antes de atravessar o bosque de faias até Pishill Bank, onde uma pequena igreja de tijolos e sílex e o cemitério adjacente se equilibravam num dos lados da colina. Conforme ela descrevia cada lugar — e ele os conhecia tão bem —, Edward a imaginava sozinha a caminhar por horas na sua direção, parando apenas para consultar o mapa com as sobrancelhas franzidas. Tudo por ele. Que dádiva! E ele nunca a vira tão feliz, nem tão bonita. Havia prendido o cabelo para trás com uma tira de veludo preto, estava com jeans pretos e tênis, e uma blusa branca com um jovial dente-de-leão enfiado numa das casas de botão. Enquanto seguiam na direção do sítio, ela volta e meia o puxava pelo braço manchado de grama, para mais um beijo, embora do tipo rápido, e por uma vez ele aceitou feliz, ou pelo menos calmo, que não passassem disso. Depois de descascar a laranja que guardara para dividir com ele ao longo do caminho, a mão dela grudou na dele. Estavam inocentemente excitados pela bela surpresa que ela lhe fizera, a vida deles parecia esfuziante e livre, e eles tinham todo o fim de semana pela frente.

A lembrança daquele passeio do campo de críquete até a casa dos pais afrontava Edward agora, um ano depois, na sua noite de núpcias, enquanto ele se levantava da cama na penumbra. Sentia a tração de emoções contrárias, precisava se agarrar aos seus melhores e mais ternos pensamentos em relação a ela, senão achava que podia sucumbir, simplesmente entregar os pontos. Era como se houvesse um peso líquido em suas pernas quando atravessou o quarto para recolher as cuecas do chão. Vestiu-as, pegou as calças e ficou por um bom tempo com elas penduradas na mão, enquanto observava pela janela as árvores encolhidas pelo vento, escurecidas agora numa massa contínua, cinzenta e esverdeada. Lá em cima estava uma enevoada meia-lua, que não projetava praticamente luz nenhuma. O barulho das ondas, quebrando na praia em intervalos regulares, interrompeu-lhe os pensamentos, como se de repente o despertasse, enchendo-o de cansaço; as leis e os processos inexoráveis do mundo físico, da lua e das marés, pelos quais em geral tinha pouco interesse, não foram afetados nem remotamente pela sua situação. Esse fato mais do que óbvio era demasiado severo. Como é que ele podia continuar, só e sem apoio? E como é que podia descer e encará-la na praia, onde supunha que ela estivesse? As calças pareceram pesadas e ridículas em sua mão, esses tubos paralelos de pano unidos numa das pontas, uma moda arbitrária de séculos recentes. Tinha a impressão de que vesti-las o traria de volta para o mundo social, para as suas obrigações e para a real medida da sua vergonha. Uma vez vestido, teria que sair e encontrá-la. E assim adiava.

Como muitas memórias vívidas, a recordação da caminhada com Florence até Turville Heath criou uma penumbra de esquecimento em torno de si. Era possível que tivessem encontrado sua mãe sozinha ao chegarem em casa — o pai e as meninas ainda deviam estar na escola. Marjorie Mayhew costumava ficar aturdida diante de um rosto estranho, mas Edward não guardava nenhuma lembrança de ter apresentado Florence ou de como ela reagira aos quartos esquálidos e entulhados e ao fedor, sempre pior durante o verão, que os ralos exalavam da cozinha para o interior da casa. Tinha apenas fragmentos de memória daquela tarde, algumas vistas, como velhos cartões-postais. Numa delas, pela janela de treliça engordurada da sala, via-se o fundo do jardim, onde Florence e sua mãe conversavam, sentadas num banco, cada uma com uma tesoura na mão e exemplares da revista *Life*, enquanto recortavam as páginas. Quando chegaram da escola, as meninas devem ter levado Florence para ver o burrico recém-nascido do vizinho, já que outra vista mostrava as três voltando pelo gramado, de braço dado. Numa terceira imagem, Florence trazia uma bandeja com chá para o pai dele no jardim. Ah, sim, ele não devia ter dúvidas, ela era uma boa pessoa, a melhor, e naquele verão todos os Mayhew se apaixonaram por Florence. As gêmeas foram com ele até Oxford e passaram o dia no rio com Florence e a irmã. Marjorie sempre perguntava por Florence, embora nunca se lembrasse do nome dela, e Lionel Mayhew, com toda a sua experiência, aconselhou o filho a se casar com "aquela garota" antes de ela dar no pé.

Ele evocou essas lembranças do ano anterior, os cartões-postais do sítio, a caminhada sob os limoeiros, o verão em Oxford, não por um desejo sentimental de se entregar ou de condescender com a sua dor, mas para dispersá-la, e se sentir apaixonado, e impedir o avanço de um elemento que de início ele não quis admitir, o advento de uma nuvem sobre o seu espírito, um cômputo mais sombrio, um vestígio de veneno que ainda se ramificava pelo seu ser. A ira. O demônio que antes ele chegara a reprimir, achando que sua paciência estava por um fio. Quanta tentação, entregar-se à ira, agora que estava só e podia deixar que ela o inflamasse. Depois de tanta humilhação, era o que o seu amor-próprio exigia. E que mal haveria num simples pensamento? Melhor encarar isso agora, enquanto estava ali, seminu entre as ruínas da sua noite de núpcias. Foi encorajado a capitular pela clareza que advém de uma repentina falta de desejo. Com os pensamentos não mais amolecidos ou embaçados pelo desejo, era capaz de reconhecer um insulto com objetividade forense. E que insulto, que desprezo ela manifestara por ele com seu grito de repulsa e o estardalhaço do travesseiro, que estocada, fugir do quarto sem dizer nada, deixando-o com a mancha repugnante da vergonha, e todo o ônus do fracasso. Ela havia feito o que pudera para piorar a situação, e torná-la irreparável. Desprezava-o, quisera puni-lo, deixá-lo sozinho a contemplar suas inadequações sem nenhum pensamento da parte dela. Seguramente, foi o movimento de sua mão, foram seus dedos que causaram tudo. À lembrança daquele toque, daquela sensação agradável, um novo estímulo agudo passou a distraí-lo, afastando-o desses pensamentos casmurros, induzindo-o a perdoá-la. Mas ele resistiu. Tinha achado um tema, e o desenvolvia. Sentia a matéria preponderante mais à frente, e logo a alcançava, precipitando-se sobre ela, como um mineiro a alargar as paredes de um túnel, uma artéria sombria e extensa o bastante para a sua fúria acumulada.

Estava bem diante dele, e ele era um idiota por não ter visto. Durante um ano inteiro, sofrera um tormento passivo, desejando-a até doer, e desejando também pequenas coisas, coisas patéticas e inocentes como um beijo completo e verdadeiro, o toque dela e que ela o deixasse tocá-la. A promessa do casamento era seu único alívio. Quantos prazeres ela negara a ambos. Mesmo não podendo fazer amor antes de se casarem, não havia necessidade de tamanhas contorções, tamanhas agonias restritivas. Ele tinha sido paciente, conformado — um educado idiota. Outro homem teria exigido mais, ou ido embora. E, se, no final de um ano de esforços para se conter, ele já não era capaz de se controlar e acabara falhando no momento crucial, recusava-se a arcar com a culpa. Isso mesmo. Rejeitava essa humilhação, não a reconhecia. Fora um insulto da parte dela gritar decepcionada, sair desabalada do quarto, quando a culpa era dela. Ele tinha de aceitar o fato, ela não gostava de beijar nem de carícias, não gostava de seus corpos próximos, não estava interessada nele. Não era carnal, era totalmente desprovida de desejo. Nunca poderia sentir o que ele sentia. Edward deu os passos seguintes com fatal desenvoltura: ela sempre soubera disso — como não teria sabido? — e o enganara. Queria um marido para corresponder às convenções, ou para agradar aos pais, ou porque era o que todo mundo fazia. Ou achava que fosse um jogo maravilhoso. Ela não o amava, não podia amar do jeito que homens e mulheres amavam, sabia disso e escondeu dele. Era desonesta.

Não é fácil perseguir verdades tão duras descalço e de cuecas. Vestiu as calças e saiu tateando à procura das meias e dos sapatos, e pensou tudo de novo, desbastando as arestas ásperas e as passagens difíceis, as pontes de ligação que se erguiam acima de suas próprias dúvidas, assim foi aperfeiçoando seu argumento, e, enquanto o fazia, sentiu a ira avolumar-se de novo. Esta chegava ao ápice, e não faria sentido não dizê-la. Tudo estava ficando claro. Ela precisava saber o que ele pensava e sentia — ele tinha de lhe dizer e lhe mostrar. Arrancou o paletó de uma cadeira e saiu correndo do quarto.

5.

Ela o observou vindo pela praia, sua forma que de início não passava de uma pequena mancha anil contra os seixos escurecidos, por vezes parecendo imóvel, bruxuleante e se dissolvendo em seus contornos, por outras subitamente mais próxima, como se avançasse à maneira de uma peça de xadrez, pulando algumas casas na direção dela. Os últimos raios do sol desapareciam ao longo da costa, e atrás de Florence, para o leste, havia pontos de luz em Portland, e a base da nuvem refletia o fulgor embotado das lâmpadas de rua de uma cidade distante. Ela o observou, desejando que diminuísse o passo, pois tinha a consciência pesada e sentia medo dele, precisava desesperadamente de mais tempo para si. Não importava o que tivessem para conversar, aquilo a apavorava. Do que conseguia compreender, não havia palavras para nomear o que acontecera, não havia linguagem comum em que dois adultos sãos podiam descrever tais fatos um para o outro. E discutir sobre isso estava bem além da sua imaginação. Não podia haver nenhum debate. Ela não queria pensar naquilo, e esperava que ele também não. Mas do que mais podiam falar? E, além disso, por que estavam ali fora? O assunto permanecia entre os dois, sólido como um acidente geográfico, uma montanha, um cabo. Inominável, inevitável. E ela estava envergonhada. Os tremores sucessivos ao choque do seu próprio comportamento reverberavam dentro dela e até pareciam ecoar em seus ouvidos. Por isso correra para tão longe, pela praia, pelos seixos árduos, com a muda de sapatos, para escapar ao quarto e a tudo o que ali ocorrera, e para escapar a si mesma. Comportara-se abominavelmente. *Abominavelmente*. Deixou a palavra feita, canhestra, repetir-se várias vezes nos pensamentos dela. Em última análise, o termo servia de desculpa — ela jogava tênis abominavelmente, sua irmã tocava piano abominavelmente —, e Florence sabia que apenas mascarava, em vez de descrever, o seu comportamento.

Ao mesmo tempo, tinha consciência da desonra dele — quando se levantou por cima dela, com aquele olhar cerrado, desnorteado, o espasmo reptiliano ao longo da espinha dorsal. Mas ela tentava não pensar nisso. Será que ousava admitir que estava um pouquinho aliviada por não ser só ela, por haver alguma coisa errada também com ele? Como seria terrível, mas também reconfortante, se ele sofresse de alguma forma de mal congênito, uma maldição familiar, o tipo de doença a que só se associam a vergonha e o silêncio, como a enurese ou o câncer, palavra que ela nunca pronunciara, por superstição, de medo que lhe infectasse a boca — uma tolice, na certa, que, no entanto, ela nunca confessaria. Então, eles poderiam se apiedar um do outro, unidos no amor por suas respectivas doenças. E ela realmente se condoía dele, mas também se sentia um tanto ludibriada. Se ele sofria de um estado de saúde incomum, por que não lhe confidenciara? Mas entendia perfeitamente por que ele não podia. Ela também não se abrira. Como é que ele podia encetar o assunto da sua própria deformidade, quais teriam sido suas palavras introdutórias? Elas não existiam. Tal linguagem ainda estava para ser inventada.

Mesmo durante o desenvolvimento elaborado desses pensamentos, ela sabia muito bem que não havia nada errado com ele. Nada. Era ela e somente ela. Estava encostada numa grande árvore caída, provavelmente derrubada na praia por uma tempestade, com o córtex descascado pelo poder das ondas e a madeira acetinada e endurecida pela água salgada. Estava confortavelmente encravada no ângulo de um galho, sentindo no delgado das costas, através da circunferência maciça do tronco, o calor residual do dia. Assim teria ficado um recém-nascido, aninhado com segurança na dobra do braço da mãe, embora ela não acreditasse que alguma vez pudesse ter se aninhado em Violet, cujos braços eram finos e retesados pelo trabalho da escrita e do pensamento. Quando Florence tinha cinco anos, houve uma tal Babá Norland, muito roliça e maternal, com uma voz maviosa e escocesa, e as articulações em carne viva, que, porém, foi embora depois de alguma desonra inominada.

Florence continuava a observar o avanço de Edward pela praia, segura de que ele ainda não podia vê-la. Daria para ela descer o barranco íngreme e esquivar-se de volta ao longo do Estuário, mas, apesar de temê-lo, achou que fugir seria demasiado cruel. Por um instante, viu o contorno dos ombros dele contra uma faixa prateada de água, uma corrente que se infiltrava mar adentro, atrás dele. Agora podia ouvir o som de suas passadas sobre os seixos, o que significava que ele também ouviria as dela. Ele tinha vindo nessa direção porque foi o que decidiram, o plano para depois do jantar, um passeio pela famosa restinga de seixos, com uma garrafa de vinho. Pretendiam coletar pedras pelo caminho e comparar o tamanho delas para ver se as tempestades realmente haviam posto ordem na praia.

A lembrança daquele prazer frustrado não a deixou especialmente compungida agora, pois foi logo afastada por uma idéia, um pensamento anteriormente interrompido na mesma noite. Amar e deixar o outro livre. Era um argumento que ela podia defender, uma proposta audaciosa, ela pensou, se a fizesse para qualquer outro; para Edward, podia soar risível e idiota, talvez até mesmo insultante. Ela nunca mensurava o tamanho real da própria ignorância, porque havia assuntos em que até se considerava sensata. Precisava de mais tempo. Mas ele estaria com ela em segundos, e a terrível conversa teria de começar. Era outro dos seus defeitos não fazer a menor idéia de qual atitude ter com ele, quais sentimentos além do pavor do que ele podia dizer e do que lhe cabia responder. Não sabia se devia pedir desculpas ou esperá-las. Não estava apaixonada, nem lhe faltava amor — não sentia nada. Queria apenas ficar ali, sozinha no crepúsculo, apoiada na grandeza da sua árvore gigante.

Ele parecia trazer algum tipo de pacote na mão. Parou a uns bons metros de distância, e apenas isso já lhe pareceu hostil, deixando-a em contrapartida propensa ao antagonismo. Por que ele viera tão logo atrás dela?

De fato, havia exasperação na voz dele. "Aí está você."

Ela não tinha o que responder a uma observação tão inane.

"Você realmente tinha de vir tão longe?"

"Sim."

"Devem ser mais de três quilômetros de volta até o hotel."

Ela se surpreendeu com a dureza na própria voz. "Tanto faz a distância. Eu precisava sair."

Ele deixou passar. Quando mudou de posição, as pedras tilintaram sob seus pés. Agora, ela viu que era o paletó que ele carregava. Estava quente e úmido na praia, mais quente do que durante o dia. Incomodava-a que ele tivesse trazido o paletó. Pelo menos não pusera a gravata! Deus, como ela pôde ficar tão irritável de repente, quando minutos antes estava tão envergonhada? Logo ela, em geral tão interessada na boa opinião dele, agora não estava nem aí.

Ele se preparava para iniciar o que viera dizer, e deu um passo à frente. "Olha, isso é ridículo. Foi injusto sair correndo daquele jeito."

"Foi mesmo?"

"Na verdade, foi desagradável pra burro."

"Ah, é? Bem, desagradável pra burro foi o que você fez."

"O quê?"

Ela manteve os olhos fechados ao dizer isto. "Você sabe muito bem do que estou falando." Acabaria torturada pela lembrança do seu papel nesse diálogo, mas na hora completou: "Foi absolutamente revoltante".

Teve a impressão de ouvi-lo grunhir, como se tivesse levado um soco no peito. Se ao menos o silêncio que se seguiu tivesse durado mais uns poucos segundos, a culpa teria tido tempo de se erguer contra ela, e talvez ela tivesse acrescentado alguma coisa menos cruel.

Mas Edward rebateu com toda a força. "Você não faz a menor idéia de como se comportar com um homem. Se fizesse, isso nunca teria acontecido. Você nunca me deixou chegar perto. Você não conhece nada disso, não é? Leva as coisas como se estivéssemos em *mil oitocentos* e sessenta e dois. Você nem ao menos sabe beijar."

Ela ouviu a si mesma dizer tranqüilamente: "Eu reconheço o fracasso quando o vejo". Mas não era o que queria dizer, essa crueldade nada tinha a ver com ela. Era apenas o segundo violino respondendo ao primeiro, uma defesa retórica provocada pela brusquidez, pela precisão do ataque dele, pelo escárnio que ela ouviu em todos aqueles repetidos "você". Quanta acusação ela devia suportar num pequeno discurso?

Se é que ela o havia ferido, ele não dava sinais, embora ela mal pudesse ver seu rosto. Talvez tivesse sido a escuridão que a encorajara. Quando voltou a falar, ele nem sequer levantou a voz.

"Não vou ser humilhado por você."

"E eu não vou ser intimidada por você."

"Não estou te intimidando."

"Está, sim. Sempre está."

"Isso é ridículo. Do que é que você está falando?"

Ela não estava segura, mas sabia qual o caminho que tomava. "Você está sempre me forçando, me forçando, querendo tirar alguma coisa de mim. Nunca podemos apenas ser. Nunca podemos apenas ser felizes. Tem sempre essa pressão. Você sempre quer alguma coisa a mais de mim. Essa engambelação interminável."

"Engambelação? Não estou entendendo. Espero que você não esteja falando de dinheiro."

Ela não estava. Aquilo nem passava pela cabeça dela. Que coisa mais despropositada, falar em dinheiro. Que *ousadia* da parte dele. E assim ela disse: "Está bem, agora você falou. Pelo visto, é o que está na sua cabeça".

O sarcasmo dele a atiçara. Ou sua impertinência. Ela se referia a algo mais fundamental que o dinheiro, mas não sabia como dizê-lo. Era a língua dele se enfiando cada vez mais fundo na sua boca, a mão dele avançando debaixo da sua saia ou da blusa, puxando sua virilha para a dele, um jeito de desviar os olhos dela e se calar. Eram as expectativas que ele alimentava em relação a ela dar mais — e, porque não dava, ela era uma decepção e um pé no freio. A cada nova fronteira que ela ultrapassava, sempre havia outra a esperá-la mais adiante. A cada concessão que fazia, aumentavam as exigências, e a decepção. Mesmo nos momentos mais felizes entre os dois, havia sempre a sombra da acusação, o desalento mal disfarçado da insatisfação dele, avultando como um alpe, uma forma de mágoa perpétua, aceita pelos dois como sendo de responsabilidade dela. Ela queria estar apaixonada sem deixar de ser ela mesma. Mas, para ser ela mesma, tinha de dizer não o tempo inteiro. E aí já não era ela. Tinha sido relegada à doença, em oposição à vida normal. Irritava-a que ele tivesse vindo atrás dela tão depressa pela praia, em vez de lhe dar mais tempo para ficar sozinha. E o que eles discutiam ali, às margens do canal da Mancha, não passava de um detalhe de um quadro bem maior. Ela já podia ver o que viria em seguida. Teriam essa briga, fariam as pazes, ou em parte, ela seria persuadida a voltar para o quarto, e mais uma vez as expectativas recairiam sobre ela. E ela fracassaria de novo. Não conseguia respirar. Seu casamento tinha oito horas, e cada uma delas fora um peso nas suas costas, tanto maior por ela não saber como lhe descrever esses pensamentos. Então, o dinheiro teria que servir de assunto — na verdade, veio a calhar, já que agora ela estava inflamada.

Ele disse: "Nunca liguei para dinheiro, nem para o seu nem para o de ninguém".

Ela sabia que era verdade, mas não disse nada. Ele tinha trocado de posição, de modo que agora ela via nitidamente o seu contorno contra o brilho evanescente na água às suas costas.

"Guarde o seu dinheiro, o do seu pai, gaste com você. Compre um violino novo. Não desperdice com nada que eu possa usar."

A voz dele estava apertada. Ela o ofendera profundamente, mais até do que pretendia, mas por enquanto não dava a mínima, e não ver o rosto dele a ajudava. Nunca falaram de dinheiro antes. O pai dela lhes dera duas mil libras como presente de casamento. Ela e Edward falaram apenas vagamente sobre algum dia comprar uma casa com o dinheiro.

Ele disse: "Você acha que eu te engambelei para arrumar aquele emprego? Foi idéia sua. E eu não quero ficar com ele.

Está entendendo? Não quero trabalhar para o seu pai. Pode dizer a ele que mudei de idéia".

"Diga você mesmo. Ele vai ficar agradecido. Ele se desdobrou por você."

"Está certo. Eu digo."

Ele se virou e se afastou dela, na direção do mar, e voltou depois de poucos passos, chutando os seixos com uma violência descarada e lançando no ar uma chuva de pedrinhas, algumas das quais aterrissaram junto aos pés dela. Seu ódio atiçou o dela, e de repente ela achou ter entendido o problema deles: eram demasiado educados, demasiado embaraçados, demasiado tímidos, andavam às voltas um do outro na ponta dos pés, murmurando, sussurrando, adiando, submetendo-se. Mal se conheciam, e nunca puderam se conhecer por causa da cortina de fumaça que enevoava suas diferenças com uma quase-mudez amistosa e os cegava tanto quanto os limitava. Haviam temido discordar um dia, e agora o ódio dele a liberava. Queria magoá-lo, puni-lo, para tornar-se diferente dele. O impulso rumo à excitação da destruição lhe era tão desconhecido, que ela não tinha como lhe oferecer resistência. Seu coração batia com força, e ela queria lhe dizer que o odiava, e estava mesmo prestes a dizer essas palavras ásperas e maravilhosas que nunca pronunciara antes na vida quando ele falou primeiro. Voltara ao ponto de partida, invocando toda a sua dignidade para repreendê-la.

"Por que você fugiu? Foi errado da sua parte, e ofensivo."

Errado. Ofensivo. Que patético!

Ela disse: "Eu já falei. Tinha que sair. Não estava agüentando ficar lá com você".

"Você queria me humilhar."

"Bom, se é isso que você quer. Eu estava tentando te humilhar. É o mínimo que você merece por nem mesmo conseguir se controlar."

"Você parece uma piranha falando desse jeito."

A palavra foi como a explosão de uma estrela no céu noturno. Agora, ela podia dizer o que quisesse.

"Se é isso que você pensa, então me deixe em paz. Simplesmente suma daqui, está bem? Edward, por favor, *vá embora*. Você não está entendendo? Vim até aqui para ficar sozinha."

Ela sabia que ele havia se dado conta de ter ido longe demais ao usar aquela palavra, e agora estava num beco sem saída. Ao lhe dar as costas, sabia que estava representando, sendo tática de uma forma que sempre desdenhara em suas amigas mais expansivas. Estava cansada da conversa. Mesmo o melhor resultado apenas a levaria de volta às velhas estratégias silenciosas. Quando ficava infeliz, costumava imaginar o que mais gostaria de estar fazendo. Nesse caso, soube imediatamente. Imaginou-se na plataforma da estação ferroviária de Oxford, esperando o trem para Londres às nove da manhã, com a caixa do violino na mão, um maço de partituras e um feixe de lápis apontados na velha bolsa escolar de lona pendurada no ombro, indo para um ensaio com o quarteto, para um encontro com a beleza e a dificuldade, com problemas que podiam de fato ser resolvidos por amigos trabalhando juntos. Ao passo que ali, com Edward, não havia solução que ela pudesse imaginar, a não ser que fizesse sua proposta, e agora já não sabia se tinha coragem. Estava realmente encurralada, sua vida presa a esse estranho de um vilarejo nas colinas de Chiltern, que conhecia o nome das flores silvestres e das plantas e de todos os reis e papas medievais. Agora lhe parecia realmente extraordinário que tivesse escolhido essa situação, esse embaraço, para si.

Ainda lhe dava as costas. Sentiu que ele se aproximara, imaginava-o bem atrás de si, com as mãos caídas ao lado do corpo, a abri-las e fechá-las brandamente, conforme considerava a possibilidade de tocar o seu ombro. Da escuridão sólida das colinas, transportado através do Estuário, veio o canto de um único pássaro, convoluto e mavioso. Pela beleza do canto e pela hora do dia, ela o teria tomado por um rouxinol. Mas os rouxinóis viviam na costa? Cantavam em julho? Edward saberia, mas ela não estava em condições de perguntar.

Ele disse à maneira de arremate: "Eu te amava, mas você torna isso tão difícil".

Ficaram em silêncio enquanto as implicações do tempo verbal que ele usara se consolidavam ao redor deles. E então ela disse por fim, abismada: "Você me *amava*?".

Ele não se corrigiu. Talvez ele próprio não fosse um tático tão ruim. Disse apenas: "Podíamos ser tão livres um com o outro, podíamos estar no paraíso. Em vez disso, nos metemos nesta encrenca".

Essa verdade sem rodeios a desarmou, assim como a reversão a um tempo verbal mais promissor. Mas a palavra "encrenca" trouxe-lhe de volta a cena infame no quarto, a substância tépida secando em sua pele até virar uma crosta rachada. Estava segura de nunca mais deixar isso se repetir.

Respondeu, com neutralidade: "Sim".

"Sim o quê?"

"É uma encrenca."

Fez-se um silêncio, uma espécie de impasse, de duração indeterminada, enquanto eles se puseram a escutar as ondas e o canto intermitente do pássaro, que se afastara e cujo pio, agora desfalecido, tornara-se ainda mais claro. Afinal, como ela previa, ele pousou a mão em seu ombro. Foi um toque cordial, que lhe espalhou calor ao longo da espinha, pela curva das costas. Ela não sabia o que pensar. Desagradava-a que estivesse calculando o momento em que iria se virar, ela se via como ele a via, tão inábil e quebradiça quanto sua mãe, difícil de conhecer, criando dificuldades quando podiam estar em paz no paraíso. Então, devia tornar as coisas simples. Era sua obrigação, sua obrigação conjugal. Ao se virar, afastou-se do toque dele, porque não queria que a beijasse, não assim de cara. Precisava estar com a cabeça desanuviada para lhe contar seu plano. Mas ainda estavam bastante próximos para que ela discernisse parte das feições dele sob a pouca luz. Talvez naquele momento a lua atrás dela estivesse parcialmente descoberta. Ela achou que ele a observava como costumava fazer — era um olhar de admiração — sempre que estava para lhe dizer como ela era bonita. Nunca acreditara realmente nele, e a incomodava que dissesse aquilo, porque podia estar querendo alguma coisa que ela não podia dar. Perdida nessas divagações, não poderia chegar ao seu propósito.

Viu-se perguntando: "É um rouxinol?".

"Um melro."

"À noite?" Não conseguia esconder a decepção.

"Deve ser um local de acasalamento. O coitado está tendo que dar duro." E acrescentou: "Como eu".

Ela riu, imediatamente. Foi como se tivesse em parte se esquecido dele, de sua verdadeira realidade, e agora o visse de novo diante dela, o homem que ela amava, seu velho amigo, que dizia coisas imprevisíveis e carinhosas. Mas era um riso de desconforto, pois se sentia um pouco louca. Nunca chegara a conhecer os próprios sentimentos, seus estados de espírito, com tantas quedas e oscilações. E agora estava para fazer uma sugestão que, de um ponto de vista, era totalmente sensata e, de outro, muito provavelmente — ela não podia ter certeza —, um verdadeiro ultraje. Sentia como se estivesse tentando reinventar a própria existência. Estava condenada ao erro.

Inspirado pelo riso dela, ele se aproximou de novo e tentou pegar sua mão, e mais uma vez ela se afastou. Era crucial poder pensar direito. Ela deu início ao seu discurso conforme o havia ensaiado em pensamento, com a declaração mais importante.

"Você sabe que eu te amo. Muito, muito mesmo. E sei que você me ama. Nunca duvidei disso. Amo estar ao seu lado e quero passar a vida com você, e você diz que sente o mesmo por mim. Tudo devia ser muito simples. Mas não é — estamos numa encrenca, como você disse. Mesmo com todo esse amor. Também sei que a culpa é toda minha, e ambos sabemos por quê. Deve estar bem claro para você agora que..."

Ela vacilou; ele tentou falar, mas ela levantou a mão.

"Que eu não tenho jeito, absolutamente nenhum jeito, para o sexo. Não é só que não sou boa na cama, parece que não preciso disso como os outros, como você precisa. Simplesmente não faz parte de mim. Não gosto de sexo, não gosto de pensar em sexo. Não faço a menor idéia do porquê, mas não acho que vá mudar. Não imediatamente. Pelo menos, não consigo me imaginar mudando. E, se eu não disser isso agora, vamos passar a vida nos debatendo, e isso vai te fazer muito infeliz, e a mim também."

Dessa vez, quando ela fez uma pausa, ele permaneceu em silêncio. Estava a dois metros dela, agora não passava de uma silhueta, totalmente imóvel. Ela ficou receosa, e se forçou a prosseguir.

"Talvez eu devesse me submeter a uma psicanálise. O que preciso talvez seja realmente matar minha mãe e casar com meu pai."

A galhardia da pequena piada que ela concebera antes, para abrandar a mensagem, ou fazê-la soar menos inexperiente, não provocou nenhuma reação de Edward. Ele permanecia absolutamente parado, como uma forma inescrutável e bidimensional contra o mar ao fundo. Num movimento incerto e nervoso, ela levantou a mão para tirar da testa um fio de cabelo pendente e imaginário. No seu nervosismo, passou a falar mais depressa, embora suas palavras fossem enunciadas precisamente. Como um patinador sobre gelo fino, ela acelerava para evitar o afogamento. Disparava com as frases, como se bastasse a velocidade para fazer sentido, como se também pudesse propeli-lo além das contradições, girá-lo com tal rapidez em torno da curva das suas intenções que já não lhe restaria objeção a que se agarrar. Por não atropelar as palavras, ela soava desgraçadamente animada, quando na verdade estava perto do desespero.

"Pensei nisso com cuidado, e não é tão estúpido quanto parece. Quero dizer, quando se ouve pela primeira vez. Nós nos amamos — isso é incontestável. Nenhum de nós duvida. Já sabemos que nos fazemos felizes. Agora estamos livres para fazer nossas próprias escolhas, nossas próprias vidas. É sério, ninguém pode nos dizer como viver. Somos agentes livres! E as pessoas vivem de várias maneiras hoje em dia, podem viver segundo suas próprias regras e padrões, sem ter de pedir permissão a mais ninguém. Mamãe conhece dois homossexuais que vivem juntos num apartamento, como marido e mulher. Dois homens. Em Oxford, na Beaumont Street. São muito discretos. Ambos ensinam em Christ Church. Ninguém os amola. E nós também podemos fazer nossas próprias regras. É porque eu sei que você me ama que na verdade posso dizer isso. O que eu quero dizer, Edward, é o seguinte: eu te amo, e não precisamos viver como os outros, quero dizer, ninguém, ninguém mais... ninguém tem de ficar sabendo o que fizemos e o que não fizemos. Podemos ficar juntos, viver juntos, e, se você quiser, se quiser realmente, ou seja, sempre que acontecer, e é claro que vai acontecer, eu vou entender, mais que isso, vou desejar que aconteça, porque quero que você seja feliz e livre. Nunca vou sentir ciúmes, enquanto souber que você me ama. Vou amá-lo e tocar música, é tudo o que eu quero da vida. Sinceramente. Só quero estar ao seu lado, cuidar de você, ser feliz com você, e trabalhar com o quarteto, e um dia tocar alguma coisa, alguma coisa bela para você, como o Mozart, no Wigmore Hall."

Parou de repente. Não tinha previsto falar de suas ambições musicais, e achou que fora um erro.

Ele emitiu um ruído entre os dentes, mais um silvo que um suspiro, e, ao falar, deixou escapar o som de um ganido. Sua indignação era tão violenta que soava como um triunfo. "Meu Deus! Florence. Será que entendi bem? Você quer que eu saia com outras mulheres! É isso?"

Ela disse, com tranqüilidade: "Não se você não quiser".

"Está me dizendo que posso fazer com quem eu quiser menos com você."

Ela não respondeu.

"Você de fato esqueceu que nos casamos hoje? Não somos duas bichas vivendo em segredo na Beaumont Street. Somos marido e mulher!"

As nuvens mais baixas se dissiparam de novo, e, embora não houvesse luz direta da lua, um brilho tênue, difuso pelas camadas mais altas, moveu-se pela praia até incluir o casal em pé ao lado da grande árvore caída. Na sua fúria, ele se curvou para pegar uma pedra grande e lisa, com a qual acertou em cheio a palma da mão direita, para em seguida esmagá-la de volta contra a palma da esquerda.

Agora estava quase gritando. "Com meu corpo eu Te venero! Foi o que você prometeu hoje. Na frente de todo mundo. Você não percebe como a sua idéia é nojenta e ridícula? E o tamanho do insulto. Um insulto a mim! O que eu quero dizer é, é" — ele procurava as palavras — "como você *ousa*!?"

Deu um passo na direção dela, levantando a mão fechada com a pedra, e então se virou e, na sua frustração, arremessou a pedra no mar. Antes mesmo de a pedra tocar o chão, pouco antes da água, ele voltou a encará-la. "Você me enganou. Na verdade, você é uma fraude. E eu sei muito bem o que mais. Sabe o quê? Você é frígida, é isso. Completamente frígida. Mas achou que precisava de um marido, e eu fui o primeiro babaca que apareceu."

Ela sabia não ter premeditado enganá-lo, mas todo o resto, assim que ele falou, pareceu inteiramente verdadeiro. Frígida, aquela palavra terrível — ela compreendeu como se aplicava a si. Ela era exatamente o que a palavra dizia. Sua proposta era nojenta — como não vira antes? — e um insulto óbvio. E o pior de tudo era que tivesse quebrado sua promessa, feita em público, numa igreja. Assim que ele falou, tudo se encaixou perfeitamente. Aos seus próprios olhos, como aos dele, ela não valia nada.

Ela não tinha mais nada a dizer, e se afastou da proteção da árvore abatida. Para voltar ao hotel, tinha de passar por Edward, e, ao fazê-lo, parou bem diante dele e disse, não mais do que num sussurro: "Desculpe, Edward. Eu lamento profundamente".

Por um instante, ela ficou ali, à espera de uma resposta, e então seguiu seu caminho.

As palavras dela, sua construção particularmente arcaica, ainda o assombrariam por muito tempo. Despertaria no meio da noite a ouvi-las, ou algo como o seu eco, e o tom compassivo e triste, e gemeria diante da recordação daquele momento, do seu silêncio e da maneira como dera as costas a Florence, irritado, de como ficara mais uma hora na praia, saboreando toda a delícia da injúria e da afronta e do insulto que ela lhe infligira, exaltado pelo sentido lamuriento de estar inteira e tragicamente coberto de razão. Andou para cima e para baixo sobre os exaustivos seixos, atirando pedras ao mar e gritando obscenidades. Então, despencou ao lado da árvore e se perdeu em devaneios de autopiedade até conseguir novamente insuflar sua raiva. Ficou na beira da água, pensando nela, e, na sua distração, deixou as ondas lhe encharcarem os sapatos. Por fim, arrastou-se de volta pela praia, parando de vez em quando para se dirigir a um juiz implacável e imparcial, em sua cabeça, que compreendia perfeitamente o seu caso. No seu infortúnio, sentia-se quase superior.

Quando chegou ao hotel, ela já tinha feito a mala de pernoite e ido embora. Não deixou nenhum bilhete no quarto. Na recepção, ele falou com os dois rapazes que serviram o jantar no carrinho. Apesar de não dizerem nada, ficaram claramente surpresos de ele não saber que alguém da família caíra doente e que sua mulher fora chamada às pressas. O auxiliar de gerente fez a gentileza de levá-la de carro até Dorchester, onde ela pretendia pegar o último trem e fazer uma conexão tardia para Oxford. Ao lhes dar as costas para subir à suíte nupcial, Edward não teria podido ver os rapazes trocarem olhares sugestivos, mas podia muito bem imaginá-los.

Passou a noite acordado, jogado na cama de dossel, vestido, ainda furioso. Os pensamentos se sucediam numa dança circular, num delírio de eterno retorno. Que ela tivesse se casado com ele para depois rejeitá-lo era monstruoso, ela queria que ele saísse com outras mulheres, talvez quisesse observá-lo, era uma humilhação, inacreditável, ninguém ia acreditar naquilo, disse que o amava, e ele mal chegara a ver os seios dela, ela o enredou no casamento, nem sabia beijar, e o enganou, iludiu, ninguém podia saber, tinha de ser o seu segredo vergonhoso, que ela tivesse se casado com ele para depois rejeitá-lo era monstruoso...

Pouco antes do amanhecer, ele se levantou e foi até a antecâmara e, em pé atrás da cadeira onde sentara, raspou o molho solidificado da carne e das batatas no seu prato e as comeu. Depois, limpou o prato dela — para ele, tanto fazia de quem era o prato. Então, comeu todos os chocolates recheados de hortelã e, em seguida, o queijo. Deixou o hotel com o nascer do sol e dirigiu o pequeno carro de Violet Ponting por quilômetros de pistas estreitas flanqueadas por sebes altas, com o cheiro de esterco e de grama cortada se precipitando pela janela aberta, até chegar à estrada principal e vazia na direção de Oxford.

Deixou o carro do lado de fora da casa dos Ponting, com as chaves no contato. Saiu sem olhar para a janela de Florence e atravessou a cidade, apressado, com sua mala, para pegar um trem matutino. Entorpecido de exaustão, fez a pé o longo caminho entre Henley e Turville Heath, tomando as precauções para não repetir o mesmo trajeto que ela percorrera no ano anterior. Por que haveria de seguir os passos dela? Uma vez em casa, recusou-se a dar explicações ao pai. A mãe já tinha se esquecido de que ele se casara. As gêmeas o atormentaram sem parar com perguntas e especulações perspicazes. Ele as levou ao fundo do jardim e fez Harriet e Anne prometerem, solenemente, uma por vez, com a mão no coração, que nunca mais diriam o nome de Florence.

Uma semana depois, soube pelo pai que a sra. Ponting tinha tratado com eficiência de devolver todos os presentes de casamento. Reservada e discretamente, Lionel e Violet deram entrada num pedido de divórcio com base na não-consumação do ato.

Por sugestão do pai, Edward escreveu uma carta formal a Geoffrey Ponting, presidente da Ponting Electronics, lamentando uma "mudança de idéia" e, sem mencionar Florence, apresentou suas desculpas, sua demissão e uma breve despedida.

Mais ou menos um ano depois, com a ira já aplacada, ele ainda era impedido pelo orgulho de procurá-la ou lhe escrever. Temia que Florence estivesse com alguém, e, como não soubera mais dela, acabou convencido disso. Lá pelo fim daquela década tão celebrada, quando sua vida sofreu a pressão de novos estímulos, liberdades e modas, assim como do caos de vários casos amorosos — tornara-se afinal razoavelmente competente —, ele pensava vez por outra na estranha proposta que ela lhe fizera, a qual já não lhe parecia tão ridícula, e por certo nada repugnante ou insultuosa. Nas novas e atuais circunstâncias, a oferta parecia, ao contrário, liberada e muito à frente do seu tempo, inocentemente generosa, um ato de auto-sacrifício que ele simplesmente fora incapaz de compreender. Meu caro, que proposta!, seus amigos poderiam ter lhe dito, embora nunca tivesse falado daquela noite com ninguém. Agora, no final dos anos 60, ele vivia em Londres. Quem poderia ter previsto tais transformações — a súbita exaltação do prazer sensual sem culpa, a disposição descomplicada de tantas belas mulheres? Edward vagou por aqueles anos breves como uma criança feliz e confusa, liberada de um longo castigo, sem ainda acreditar completamente na sua sorte. A série de livros concisos de história e todas as considerações sobre uma vida acadêmica séria ficaram para trás, embora nunca houvesse um objetivo preciso e especial quando tomava uma decisão firme sobre seu futuro. Assim como o pobre Sir Robert Carey, ele simplesmente descera do trem da história para viver no aconchego do presente.

Envolveu-se com a organização de vários festivais de rock, ajudou a abrir um restaurante de comida natural em Hampstead, trabalhou numa loja de discos próxima do canal em Camden Town, escreveu críticas de rock para pequenas revistas, viveu uma seqüência caótica e imbricada de amantes, viajou pela França com uma mulher que se tornaria sua esposa por três anos e meio, e com ela viveu em Paris. No fim das contas, tornou-se sócio da loja de discos. Sua vida era demasiado agitada para que pudesse ler os jornais, e, além disso, durante um tempo, foi da opinião de que não dava para acreditar honestamente na "grande" imprensa, pois todo mundo sabia que ela era controlada pelos interesses do Estado, militares ou financeiros — um ponto de vista que mais tarde Edward renegou. Mesmo se lesse os jornais naquela época, era improvável que abrisse as páginas de cultura e chegasse às resenhas sérias e longas sobre os concertos. Seu interesse precário por música clássica se dissipara inteiramente em prol do rock and roll. De modo que nunca soube da estréia triunfal do Quarteto Ennismore no Wigmore Hall, em julho de 1968. O crítico do *Times* saudou a chegada de "sangue novo e paixão jovial à atual cena lírica". Elogiou a "perspicácia, a intensidade meditativa, a interpretação incisiva", que sugeria "uma espantosa maturidade musical em intérpretes ainda na casa dos vinte anos. Dominaram com magistral desenvoltura toda a panóplia de efeitos harmônicos e dinâmicos e a rica notação contrapontística que caracteriza o estilo tardio de Mozart. Seu *Quinteto em D maior* nunca foi executado de maneira tão sensível". No fim da crítica, ele destacou a líder do grupo, o primeiro violino. "Veio, então, um Adágio de expressividade seca, grande beleza e poder espiritual. A srta. Ponting, na cadência suave do seu tom e na delicadeza lírica da sua frase, tocou, se é que posso assim dizer, como uma mulher apaixonada, não apenas por Mozart, ou pela música, mas pela própria vida."

E, mesmo se Edward tivesse lido aquela crítica, não teria podido saber — ninguém podia além de Florence — que, ao se acenderem as luzes da sala, quando os jovens músicos ofuscados se levantavam para agradecer aos aplausos de êxtase, o primeiro violino não podia evitar que seu olhar corresse sempre para o meio da terceira fila, até a poltrona 9C.

Anos depois, sempre que Edward pensava nela e se dirigia a ela em sua cabeça, ou imaginava escrever-lhe, ou esbarrar nela na rua, parecia-lhe que uma explicação de sua vida tomaria menos de um minuto, menos de meia página. O que fizera de si? Deixou-se levar, semi-adormecido, desatento, sem ambições, leviano, infantil, acomodado. Suas modestas realizações foram na maioria materiais. Possuía um apartamento mínimo em Camden Town, metade de uma casa de campo de dois quartos na Auvérnia e duas lojas de discos especializadas em jazz e em rock and roll, empreendimentos precários que estavam sendo lentamente minados pelo comércio na internet. Supunha ser considerado um amigo decente pelos amigos, e de fato tinham passado bons momentos, momentos entusiásticos, especialmente nos primeiros anos. Era padrinho de cinco crianças, embora só tenha começado a agir como tal quando já estavam no final da adolescência ou com pouco mais de vinte anos.

Em 1976, a mãe de Edward morreu, e passados quatro anos ele se mudou de volta para o sítio, a fim de cuidar do pai, que sofria de um Parkinson galopante. Harriet e Anne estavam casadas e com filhos, e ambas viviam no exterior. Por essa época, Edward, aos quarenta anos, trazia um casamento fracassado na bagagem. Viajava até Londres três vezes por semana para tomar conta das lojas. Seu pai morreu em casa, em 1983, e foi enterrado no cemitério de Pishill, ao lado da mulher. Edward permaneceu na casa como locatário — as irmãs eram as proprietárias legais agora. Inicialmente, usou o lugar como refúgio e alternativa a Camden Town, e depois, no começo dos anos 90, mudou-se de vez para lá, para viver sozinho. Fisicamente, Turville Heath — ou o que ali era o seu canto — não mudara muito em relação ao lugar onde ele crescera. Em vez de trabalhadores rurais ou artesãos, os vizinhos agora ou eram pessoas que trabalhavam na cidade e só voltavam à noite para dormir ou proprietários de casas de campo de fim de semana, mas todos eram muito simpáticos. E Edward nunca teria descrito a si mesmo como um infeliz — entre seus amigos de Londres, havia uma mulher por quem nutria algum afeto; até cinqüenta e muitos anos, jogou críquete pelo Turville Park; participou ativamente de uma sociedade histórica em Henley, e teve um papel importante na restauração dos antigos canteiros de agrião em Ewelme. Trabalhava dois dias por mês para um consórcio, com sede em High Wycombe, que assistia crianças com lesões cerebrais.

Mesmo aos sessenta anos, um homem grande e robusto, com entradas e cabelo branco, o rosto rosado e saudável, ele continuava fazendo longas caminhadas. Sua excursão diária ainda seguia pela alameda dos limoeiros, e, quando o tempo estava bom, ele dava uma volta para ver as flores silvestres nas terras do Estado em Maidensgrove, ou as borboletas na reserva natural em Bix Bottom, retornando pelos bosques de faias até a igreja de Pishill, onde acreditava que um dia também seria enterrado. Às vezes, chegava a uma bifurcação do caminho no fundo de um bosque de faias e pensava inutilmente que devia ter sido bem ali que ela fizera uma pausa para consultar o mapa naquela manhã de agosto, e ele a imaginava vívida, a pouco mais de um metro dele, fazia quarenta anos, decidida a encontrá-lo. Ou então ele fazia uma pausa diante da vista do vale de Stonor e se perguntava se não teria sido ali que ela havia parado para comer sua laranja. Afinal, ele podia admitir para si mesmo que nunca encontrara ninguém a quem tivesse amado tanto quanto a amara, que nunca achara ninguém, homem ou mulher, que lhe igualasse em seriedade. Talvez, se houvesse ficado com ela, pudesse ter sido mais ambicioso e ter se concentrado mais em sua própria vida, talvez tivesse escrito aqueles livros de história. Ele não tinha nada a ver com aquele mundo, mas sabia que o Quarteto Ennismore era notável e que continuava a ser um destaque reverenciado na cena da música clássica. Nunca assistiria aos concertos, não compraria, nem mesmo olharia, as caixas de CDs de Beethoven ou de Schubert. Não queria ver a fotografia dela e descobrir o trabalho dos anos, ou ouvir detalhes sobre sua vida. Preferia preservá-la do jeito que ela estava em suas memórias, com o dente-de-leão numa casa de botão da blusa e a tira de veludo no cabelo, a bolsa de lona pendurada de través no ombro, e o belo rosto anguloso com seu sorriso largo e sincero.

Quando pensava nela, parecia-lhe surpreendente que tivesse deixado aquela garota com seu violino ir embora. Agora, é claro, via que a proposta recatada que ela lhe fizera era totalmente irrelevante. Tudo aquilo que ela precisava era da certeza do amor dele, e da sua garantia de que não havia pressa, pois tinham a vida pela frente. Amor e paciência — se pelo menos ele tivesse conhecido ambos ao mesmo tempo — certamente os teriam ajudado a vencer as dificuldades. E que dizer das crianças que poderiam ter tido, e da menininha com um arco no cabelo que poderia ter se tornado sua filha querida? É assim que todo o curso de uma vida pode ser desviado — por não se fazer nada. Na praia de Chesil, ele poderia ter gritado o nome de Florence, poderia ter ido atrás dela. Ele não sabia, ou não teria querido saber, que, enquanto ela fugia, certa na sua dor de que o estava perdendo, nunca o amara tanto, ou mais desesperadamente, e que o som da voz dele teria sido seu resgate, e que ela teria voltado atrás. Em vez disso, ele permaneceu num silêncio frio e honrado, na penumbra do verão, a observá-la em sua precipitação ao longo da orla, o som do seu avanço difícil perdendo-se entre o das pequenas ondas a quebrar na praia, até ela ser apenas um ponto borrado, desaparecendo na estrada estreita e infinita de seixos brilhando sob a luz pálida.

1ª EDIÇÃO [2007] 1 reimpressão

ESTA OBRA FOI COMPOSTA PELO GRUPO DE CRIAÇÃO EM ELECTRA E IMPRESSA PELA RR DONNELLEY MOORE EM OFSETE SOBRE PAPEL PÓLEN BOLD DA SUZANO PAPEL E CELULOSE PARA A EDITORA SCHWARCZ EM JULHO DE 2007